KB086862

상위권으 [illegible] 산 학습지

분수의 나눗셈

Creative to Math

# 응용연산 : 상위권으로 가는 문제해결 연산 학습지

요즘 아이들은 초등학교 입학 전에 연산 문제집 한 권 정도는 풀어본 경험이 있습니다. 어릴 때부터 연산 문제를 많이 풀었기 때문에 아이들은 아직 학교에서 배우지 않은 계산 문제를 슥슥 풀어서 부모님들을 흐뭇하게 만들기도 합니다. 그런데 아이들의 연산 능력은 날로 높아지지만 수학 실력은 과거에 비해 그다지 늘지 않은 것 같습니다. 사실 진짜 수학 실력은 연산 문제나 사고력 수학 문제를 주로 푸는 초등 저학년 때는 잘 드러나지 않습니다. 응용 문제를 본격적으로 풀기 시작하는 초등 3, 4학년이 되어서야 아이의 수학 실력을 판별할 수 있습니다.

초등 수학에서 연산이 가장 중요한 것은 부정할 수 없는 사실입니다. 중학생, 고등학생이 되어서 부족한 연산 능력을 키우는 것은 거의 불가능합니다. 이러한 연산의 특수성 때문에 아이들은 어린 나이부터 연산을 반복적으로 연습하여 실력을 키우려고 합니다. 이렇게 열심히 연산을 공부하는데도 왜 어떤 아이들은 수학 문제를 잘 풀지 못하는 것일까요? 그 이유는 현재 연산 학습의 목적이 단지 '계산을 잘 하는 것'이 되어버렸기 때문입니다. 연산은 연산 자체가 목적이 될 수 없으며 수학의 진짜 목표인 문제를 잘 풀기 위한 수단으로 연산을 학습해야 합니다.

과거 초등 수학 교과서의 연산 단원은 ① 원리와 연습 ② 문장제 활용의 단순한 구성이었습니다만 요즘의 교과서는 많이 달라졌습니다. 원리와 연습은 그대로이거나 조금 줄었지만 연산을 응용하는 방식은 좀 더 다양해졌습니다. 계산 능력의 향상만을 꾀하는 것이 아니라 여러 가지 퍼즐이나 수학적 상황 등을 해결할 수 있는 '응용력'에 초점을 맞추고 있다는 것을 보여주는 변화입니다. 따라서 저희는 연산 학습지도 원리나 연습 위주에서 벗어나 실제 문제를 해결할 수 있는 능력에 포인트를 맞추어야 한다고 생각합니다.

'연산은 잘 하는데 수학 문제는 왜 못 풀까요?'에 대한 대답이자 대안으로 저희는 「응용연산」이라는 새로운 컨셉의 연산 학습지를 만들었습니다. 연산 원리를 이해하고 연습하는 것에 그치지 않고, 익힌 것을 활용하는 방법을 바로 보여줄 수 있어야 아이들이 수학 문제에 연산을 효과적으로 적용할 수 있습니다. 연습은 꼭 필요한 만큼만 하고, 더 중요한 응용 문제에 바로 도전함으로써 연산과 문제 해결이 단절되지 않게 하는 것이 「응용연산」에서 기대하는 가장 큰 목표입니다.

「응용연산」을 통해 아이들이 왜 연산을 해야 하는지 스스로 느낄 수 있을 것이라 자신합니다. 이제 연산은 '원리'나 '연습'이 아닌 스스로 문제를 해결할 수 있는 '응용력'입니다.

# 응용연산의 구성과 특징

- 매일 부담없이 4쪽씩 연산 학습
- 매주 4일간 단계별 연산 학습과 응용 문제를 통한 연산 실력 확인
- 매주 1일 형성평가로 테스트 및 복습

## 주차별 구성

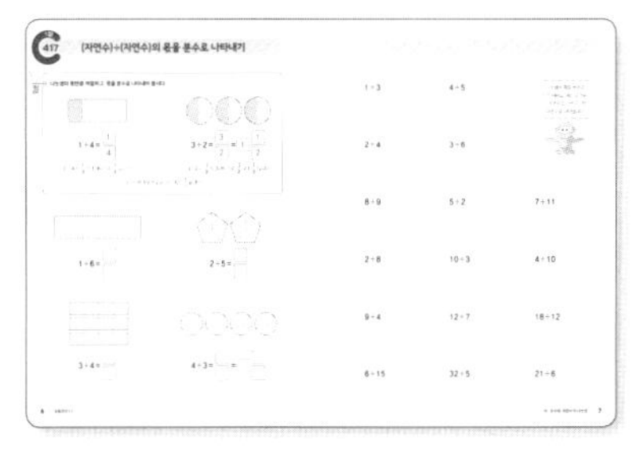

### 원리연산

대표 문제를 통해 학습하는 매일 새로운 단계별 연산 학습

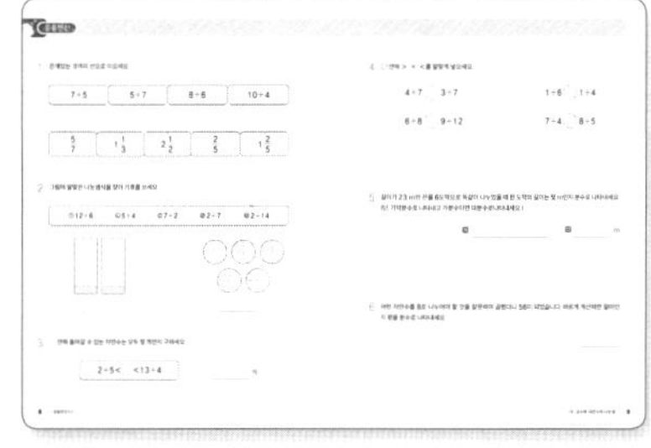

### 응용연산

기본 문제와 응용 문제를 통한 응용력과 문제해결력 증진

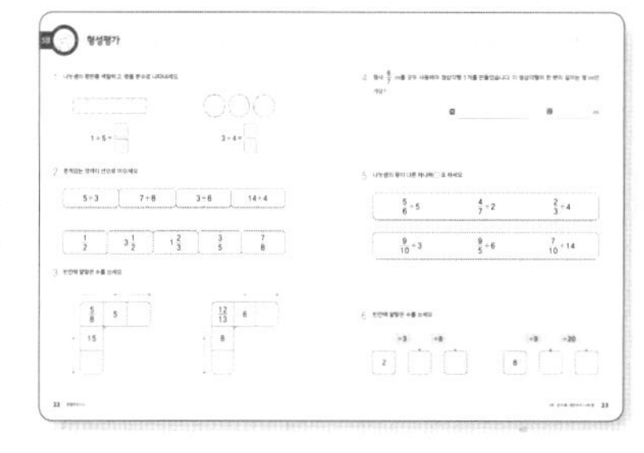

### 형성평가

가장 중요한 유형을 다시 한번 복습하며 주차 학습 마무리

| | 1일 | 2일 | 3일 | 4일 | 5일 |
|---|---|---|---|---|---|
| 1주차 | 6쪽 ~ 9쪽 | 10쪽 ~ 13쪽 | 14쪽 ~ 17쪽 | 18쪽 ~21쪽 | 22쪽 ~ 24쪽 |
| 2주차 | 26쪽 ~ 29쪽 | 30쪽 ~ 33쪽 | 34쪽 ~ 37쪽 | 38쪽 ~ 41쪽 | 42쪽 ~ 44쪽 |
| 3주차 | 46쪽 ~ 49쪽 | 50쪽 ~ 53쪽 | 54쪽 ~ 57쪽 | 58쪽 ~61쪽 | 62쪽 ~ 64쪽 |
| 4주차 | 66쪽 ~ 69쪽 | 70쪽 ~ 73쪽 | 74쪽 ~ 77쪽 | 78쪽 ~81쪽 | 82쪽 ~ 84쪽 |

## 정답 및 해설

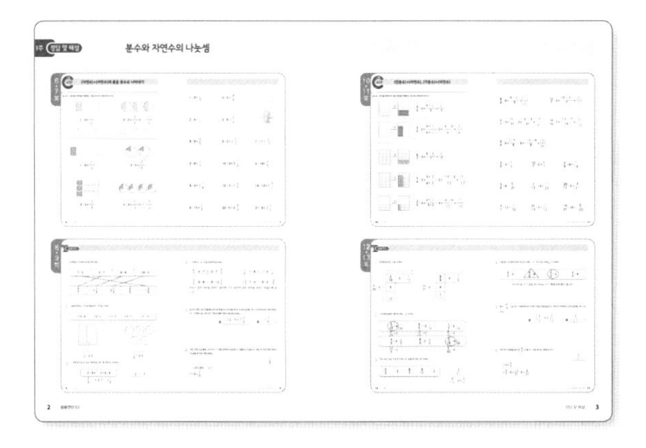

문제와 답을 한눈에 볼 수 있습니다.

# 이 책의 차례

1주차

# 분수와 자연수의 나눗셈

## 분수를 자연수로 나눈 몫 알아보기

# (자연수)÷(자연수)의 몫을 분수로 나타내기

나눗셈의 몫만큼 색칠하고, 몫을 분수로 나타내어 봅시다.

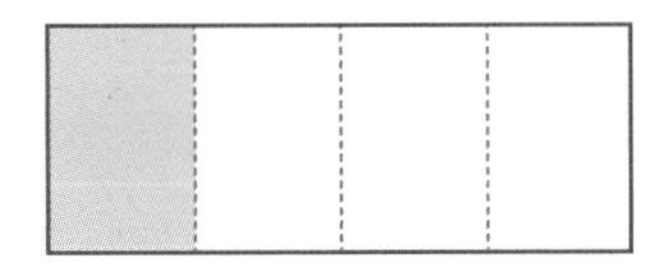

$1 \div 4 = \frac{1}{4}$

1 ÷ 4는 $\frac{1}{4}$이 1개이므로 $\frac{1}{4}$입니다.

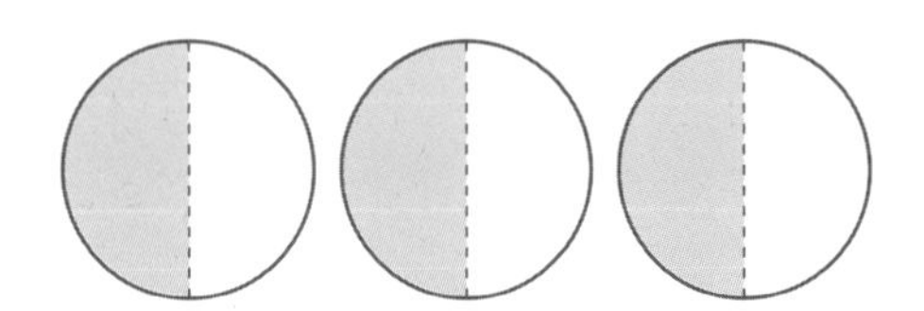

$3 \div 2 = \frac{3}{2} = 1\frac{1}{2}$

3 ÷ 2는 $\frac{1}{2}$이 3개이므로 $\frac{3}{2} = 1\frac{1}{2}$입니다.

㉠ ÷ ㉡의 몫을 분수로 나타내면 $\frac{㉠}{㉡}$입니다.

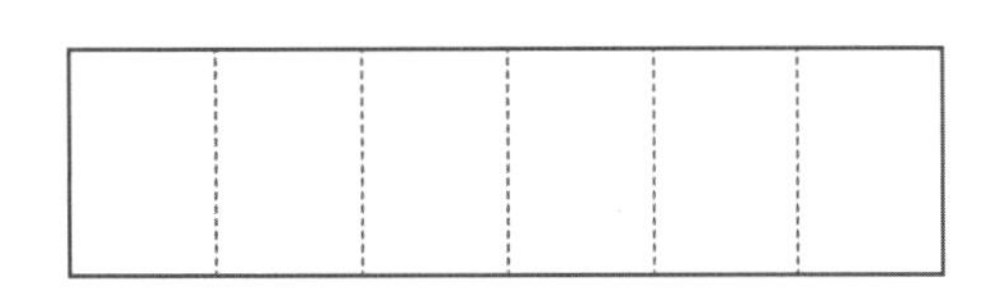

$1 \div 6 = \frac{\square}{\square}$

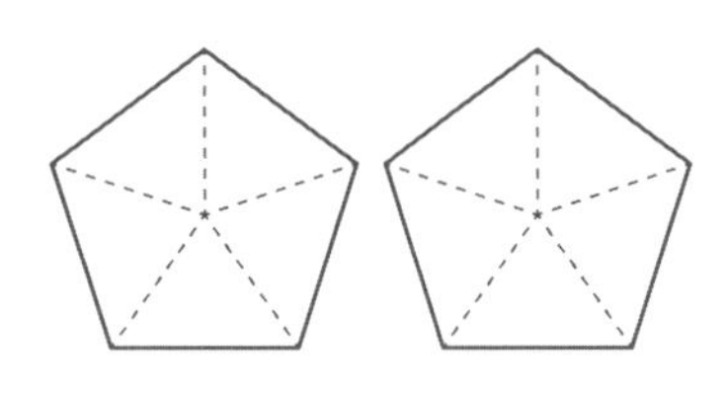

$2 \div 5 = \frac{\square}{\square}$

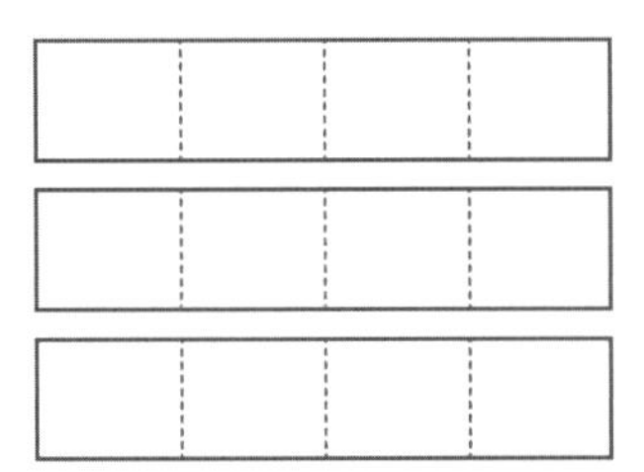

$3 \div 4 = \frac{\square}{\square}$

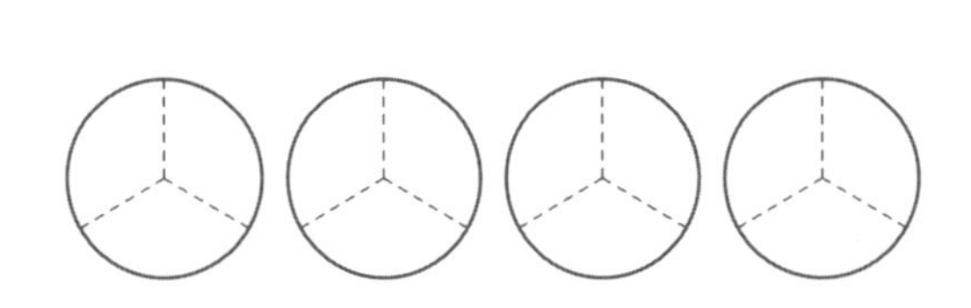

$4 \div 3 = \frac{\square}{\square} = \square\frac{\square}{\square}$

$1 \div 3$

$4 \div 5$

나눗셈의 몫을 분수로 나타내세요. 계산 결과는 기약분수로, 가분수이면 대분수로 나타냅니다.

$2 \div 4$

$3 \div 6$

$8 \div 9$

$5 \div 2$

$7 \div 11$

$2 \div 8$

$10 \div 3$

$4 \div 10$

$9 \div 4$

$12 \div 7$

$18 \div 12$

$6 \div 15$

$32 \div 5$

$21 \div 6$

**1** 관계있는 것끼리 선으로 이으세요.

| $7 \div 5$ | $5 \div 7$ | $8 \div 6$ | $10 \div 4$ |
|---|---|---|---|

| $\frac{5}{7}$ | $1\frac{1}{3}$ | $2\frac{1}{2}$ | $\frac{2}{5}$ | $1\frac{2}{5}$ |
|---|---|---|---|---|

**2** 그림에 알맞은 나눗셈식을 찾아 기호를 쓰세요.

㉠ $12 \div 6$ ㉡ $5 \div 4$ ㉢ $7 \div 2$ ㉣ $2 \div 7$ ㉤ $2 \div 14$

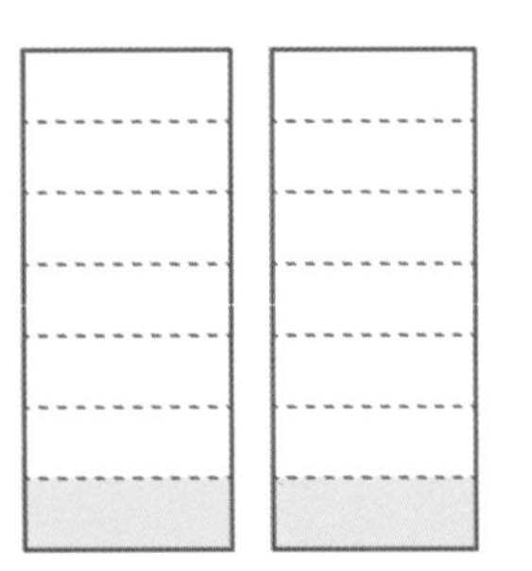

______

______

**3** □ 안에 들어갈 수 있는 자연수는 모두 몇 개인지 구하세요.

$2 \div 5 < \square < 13 \div 4$

______ 개

4 ○ 안에 >, =, <를 알맞게 넣으세요.

$6 \div 8$ ○ $9 \div 12$

$7 \div 4$ ○ $8 \div 5$

5 길이가 23 m인 끈을 6도막으로 똑같이 나누었을 때 한 도막의 길이는 몇 m인지 분수로 나타내세요. (단, 기약분수로 나타내고 가분수이면 대분수로나타내세요.)

6 어떤 자연수를 8로 나누어야 할 것을 잘못하여 곱했더니 56이 되었습니다. 바르게 계산하면 얼마인지 몫을 분수로 나타내세요.

# (진분수)÷(자연수), (가분수)÷(자연수)

분수를 자연수로 나눈 몫만큼 색칠하고, 분수로 나타내어 봅시다.

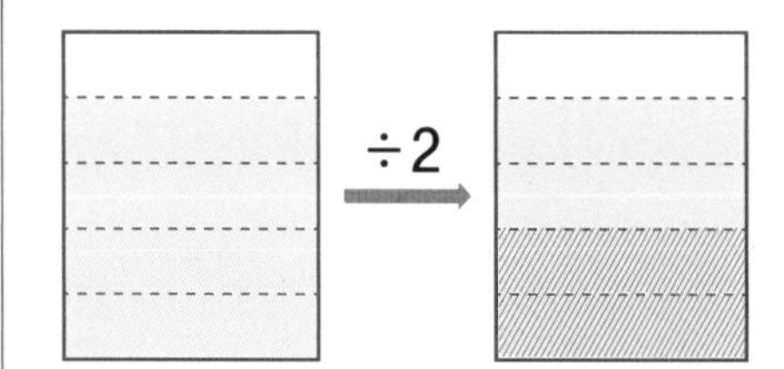


$$\frac{4}{5}\div 2=\frac{4\div \boxed{2}}{5}=\frac{\boxed{2}}{5}$$

분자가 자연수의 배수일 때는 분자를 자연수로 나눕니다.

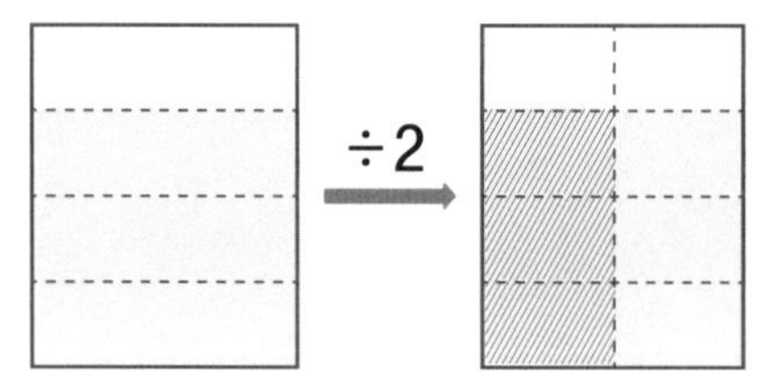


$$\frac{3}{4}\div 2=\frac{3\times \boxed{2}}{4\times \boxed{2}}\div 2=\frac{\boxed{6}\div 2}{\boxed{8}}=\frac{\boxed{3}}{\boxed{8}}$$

분자가 자연수의 배수가 아닐 때는 크기가 같은 분수 중에서 분자가 자연수의 배수인 수로 바꾸어 계산합니다.

÷3

$$\frac{6}{7}\div 3=\frac{6\div \square}{7}=\frac{\square}{7}$$

÷2

$$\frac{5}{6}\div 2=\frac{5\times \square}{6\times \square}\div 2=\frac{\square\div 2}{\square}=\frac{\square}{\square}$$

÷4

$$\frac{2}{5}\div 4=\frac{2\times \square}{5\times 2}\div 4=\frac{\square\div 4}{\square}=\frac{\square}{\square}$$

$$\frac{8}{9} \div 8 = \frac{8 \div \square}{9} = \frac{\square}{\square}$$

$$\frac{12}{7} \div 4 = \frac{12 \div \square}{7} = \frac{\square}{\square}$$

$$\frac{2}{7} \div 3 = \frac{\square}{21} \div 3 = \frac{\square \div 3}{21} = \frac{\square}{\square}$$

$$\frac{14}{15} \div 7 = \frac{\square \div 7}{15} = \frac{\square}{\square}$$

$$\frac{9}{4} \div 6 = \frac{\square}{8} \div 6 = \frac{\square \div 6}{8} = \frac{\square}{\square}$$

$\frac{3}{5} \div 3$

$\frac{10}{7} \div 2$

$\frac{4}{9} \div 8$

$\frac{5}{6} \div 6$

$\frac{7}{12} \div 14$

$\frac{20}{11} \div 5$

$\frac{3}{7} \div 12$

$\frac{21}{13} \div 3$

$\frac{16}{21} \div 10$

1 빈칸에 알맞은 수를 쓰세요.

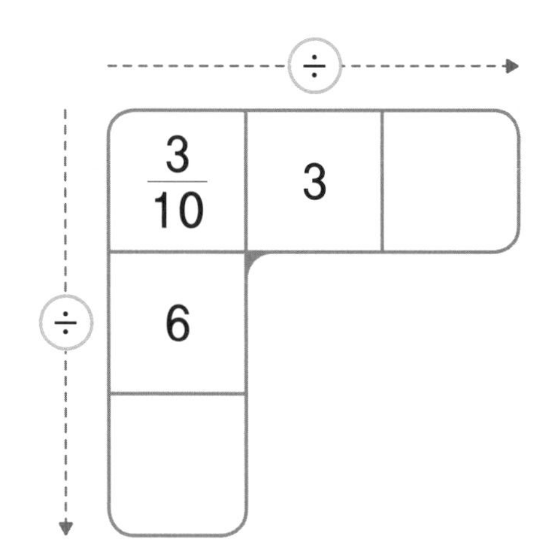


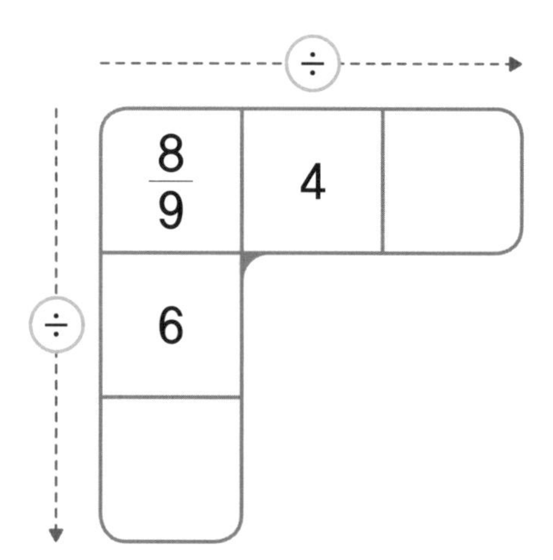


2 나눗셈의 몫이 다른 하나에 ○표 하세요.

| $\frac{3}{10} \div 6$ | $\frac{6}{5} \div 12$ | $\frac{1}{2} \div 5$ |
|---|---|---|

| $\frac{4}{3} \div 3$ | $\frac{8}{9} \div 2$ | $\frac{3}{16} \div 9$ |
|---|---|---|

3 가장 작은 수를 가장 큰 수로 나눈 몫을 분수로 나타내세요.

| $\frac{5}{3}$ | 3 | $\frac{6}{7}$ | $\frac{9}{11}$ | 2 |
|---|---|---|---|---|

4 다음 중 나눗셈의 몫이 가장 큰 수에 ◯표, 가장 작은 수에 △표 하세요.

5 철사 $\frac{12}{13}$ m를 모두 사용하여 정사각형 1개를 만들었습니다. 이 정사각형의 한 변의 길이는 몇 m인가요?

6 어떤 분수에 6을 곱하면 $\frac{4}{7}$가 됩니다. 어떤 분수는 얼마인가요?

# 419 (분수)÷(자연수)를 분수의 곱셈으로 구하기

분수를 자연수로 나눈 몫만큼 색칠하고, 나눗셈을 곱셈으로 바꾸어 계산해 봅시다.

÷3

$$\frac{2}{5}\div 3=\frac{2}{5}\times\frac{1}{3}=\frac{2}{15}$$

$\frac{2}{5}\div 3$은 $\frac{2}{5}$를 똑같이 3으로 나눈 것 중의 하나입니다. 이것은 $\frac{2}{5}$의 $\frac{1}{3}$이므로 $\frac{2}{5}\times\frac{1}{3}$입니다.

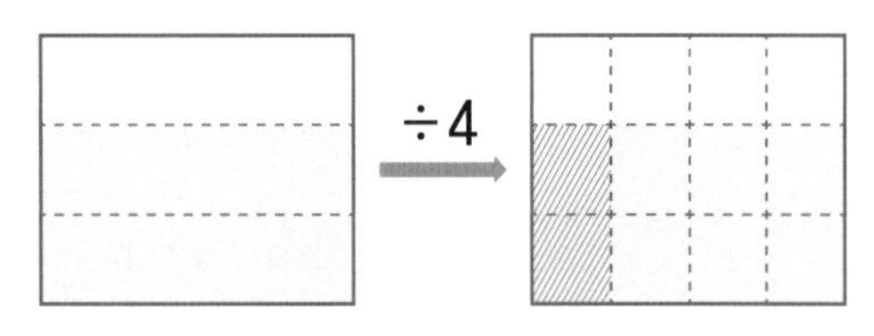

÷4

$$\frac{2}{3}\div 4=\frac{\overset{1}{\cancel{2}}}{3}\times\frac{1}{\underset{2}{\cancel{4}}}=\frac{1}{6}$$

$\frac{2}{3}\div 4$는 $\frac{2}{3}$를 똑같이 4로 나눈 것 중의 하나입니다. 이것은 $\frac{2}{3}$의 $\frac{1}{4}$이므로 $\frac{2}{3}\times\frac{1}{4}$입니다.

$\frac{ㄴ}{ㄱ}\div ㄷ$을 분수의 곱셈으로 나타내면 $\frac{ㄴ}{ㄱ}\times\frac{1}{ㄷ}$입니다.

÷3

$$\frac{1}{3}\div 3=\frac{1}{3}\times\frac{\square}{\square}=\frac{\square}{\square}$$

÷6

$$\frac{2}{5}\div 6=\frac{\overset{\square}{\cancel{2}}}{5}\times\frac{\square}{\underset{\square}{\cancel{\square}}}=\frac{\square}{\square}$$

÷4

$$\frac{3}{2}\div 4=\frac{3}{2}\times\frac{\square}{\square}=\frac{\square}{\square}$$

분수의 나눗셈을 분수의 곱셈으로
나타내어 계산해 보세요.
계산 과정에서 약분이 되면
약분을 먼저 하고 계산하세요.

$$\frac{5}{8} \div 4 = \frac{5}{8} \times \frac{\square}{\square} = \frac{\square}{\square}$$

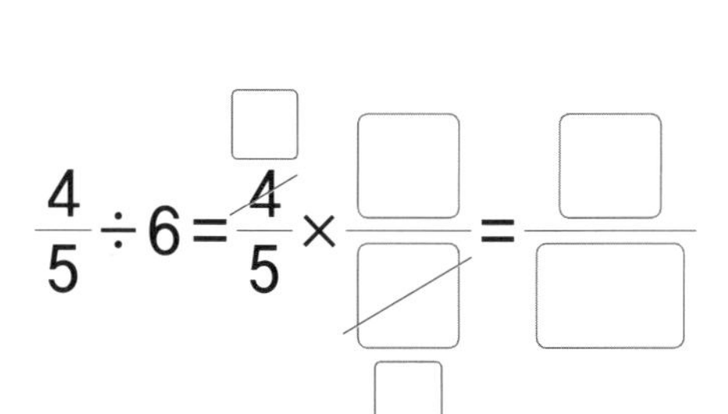

$$\frac{4}{5} \div 6 = \frac{\overset{\square}{\cancel{4}}}{5} \times \frac{\square}{\underset{\square}{\cancel{\square}}} = \frac{\square}{\square}$$

$$\frac{12}{13} \div 3 = \frac{\overset{\square}{\cancel{12}}}{13} \times \frac{\square}{\underset{\square}{\cancel{\square}}} = \frac{\square}{\square}$$

$$\frac{9}{4} \div 15 = \frac{\overset{\square}{\cancel{9}}}{4} \times \frac{\square}{\underset{\square}{\cancel{\square}}} = \frac{\square}{\square}$$

$\frac{5}{6} \div 4$

$\frac{6}{5} \div 3$

$\frac{2}{9} \div 8$

$\frac{12}{7} \div 8$

$\frac{15}{19} \div 3$

$\frac{11}{6} \div 7$

$\frac{9}{10} \div 12$

$\frac{45}{34} \div 9$

$\frac{24}{17} \div 20$

**1** 나눗셈의 몫의 크기를 비교하여 ◯ 안에 $>$, $=$, $<$를 알맞게 넣으세요.

$\frac{6}{7} \div 2$ ◯ $\frac{3}{5} \div 2$

$\frac{4}{5} \div 3$ ◯ $\frac{2}{3} \div 5$

$\frac{3}{4} \div 2$ ◯ $\frac{9}{8} \div 3$

$\frac{30}{9} \div 6$ ◯ $\frac{7}{3} \div 4$

**2** 빈칸에 알맞은 수를 쓰세요.

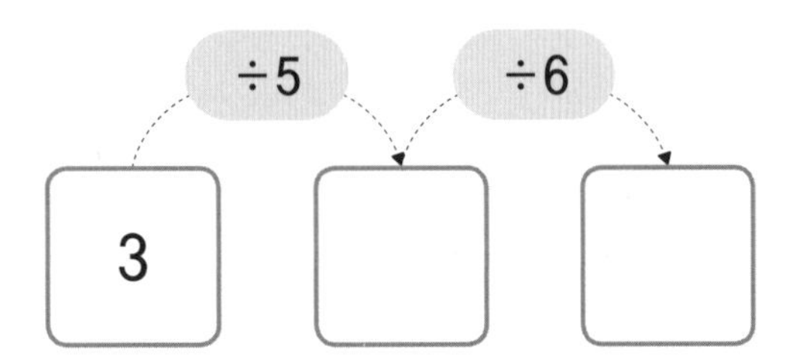


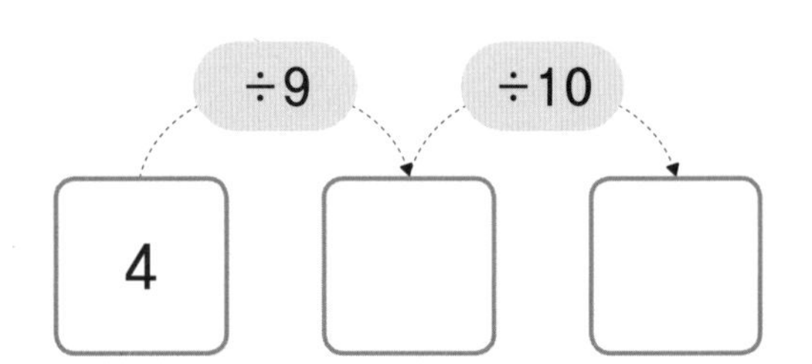


**3** □ 안에 알맞은 수를 쓰세요.

$\square \times 2 = \frac{5}{4}$

$\square \times 6 = \frac{9}{13}$

4 다음과 같이 2가지 방법으로 계산해 보세요.

방법1 크기가 같은 분수 중에서 분자가 자연수의 배수인 수로 바꾸어 계산합니다.

$$\frac{2}{7} \div 3 = \frac{2 \times 3}{7 \times 3} \div 3 = \frac{6 \div 3}{21} = \frac{2}{21}$$

방법2 나눗셈을 곱셈으로 고쳐서 계산합니다.

$$\frac{2}{7} \div 3 = \frac{2}{7} \times \frac{1}{3} = \frac{2}{21}$$

방법1 $\frac{5}{8} \div 2 =$

방법2 $\frac{5}{8} \div 2 =$

5 수 카드 3장을 모두 사용하여 몫이 가장 크게 되는 (진분수) ÷ (자연수)의 식을 만들고 계산하세요.

식 $\frac{\square}{\square} \div \square = \frac{\square}{\square}$

답

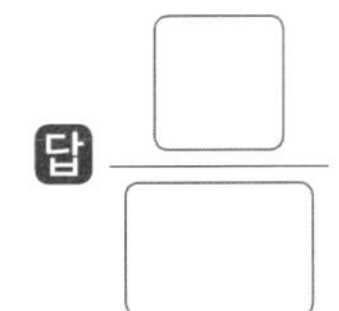

6 밀가루 반죽 $\frac{4}{5}$ kg을 똑같이 10덩이로 나누어 빵을 만들려고 합니다. 한 덩이는 몇 kg인가요?

식 ______ 답 ______ kg

# 420 (대분수)÷(자연수)

대분수와 자연수의 나눗셈을 알아봅시다.

[방법 1] $2\frac{4}{7}\div3=\frac{\boxed{18}}{7}\div3=\frac{\boxed{18}\div3}{7}=\frac{\boxed{6}}{\boxed{7}}$

대분수를 가분수로 고친 후 분자가 자연수의 배수이므로 분자를 자연수로 나누어 계산합니다.

[방법 2] $2\frac{4}{7}\div3=\frac{\boxed{18}}{7}\div3=\frac{\overset{\boxed{6}}{\cancel{\boxed{18}}}}{7}\times\frac{\boxed{1}}{\underset{\boxed{1}}{\cancel{\boxed{3}}}}=\frac{\boxed{6}}{\boxed{7}}$

대분수를 가분수로 고친 후 분수의 곱셈으로 나타내어 계산합니다. 계산 과정에서 약분이 되면 약분을 먼저 합니다.

[방법 1] $3\frac{3}{4}\div5=\frac{\square}{4}\div5=\frac{\square\div\square}{4}=\frac{\square}{\square}$

[방법 2] $3\frac{3}{4}\div5=\frac{\square}{4}\div5=\frac{\overset{\square}{\cancel{\square}}}{4}\times\frac{\square}{\underset{\square}{\cancel{\square}}}=\frac{\square}{\square}$

---

$4\frac{2}{3}\div2=\frac{\square}{3}\div2=\frac{\square\div\square}{3}=\frac{\square}{\square}=\square\frac{\square}{\square}$

$3\frac{1}{5}\div6=\frac{\square}{5}\div6=\frac{\overset{\square}{\cancel{\square}}}{5}\times\frac{\square}{\underset{\square}{\cancel{\square}}}=\frac{\square}{\square}$

$1\frac{1}{8} \div 3$

$2\frac{3}{5} \div 4$

$7\frac{1}{2} \div 9$

$3\frac{1}{4} \div 2$

$6\frac{2}{5} \div 8$

$4\frac{1}{2} \div 7$

$3\frac{4}{7} \div 5$

$8\frac{2}{3} \div 6$

$6\frac{1}{4} \div 3$

$2\frac{5}{8} \div 9$

$5\frac{5}{6} \div 7$

$3\frac{3}{5} \div 12$

1 잘못 계산한 곳을 찾아 바르게 계산하세요.

$$2\frac{4}{7} \div 4 = 2\frac{4 \div 4}{7} = 2\frac{1}{7}$$

2 나눗셈의 몫이 1보다 큰 것을 모두 골라 ○표 하세요.

| $1\frac{1}{4} \div 5$ | $7\frac{3}{7} \div 7$ | $2\frac{2}{3} \div 4$ | $5\frac{3}{5} \div 6$ | $3\frac{3}{4} \div 3$ |
|---|---|---|---|---|

3 1보다 큰 자연수 중에서 □ 안에 들어갈 수 있는 수를 모두 쓰세요.

$$\frac{\square}{5} < 4\frac{4}{5} \div 6$$

$$\frac{7}{\square} > 2\frac{1}{3} \div 2$$

4 수 카드 4장을 모두 사용하여 몫이 가장 작게 되는 나눗셈식을 만들고 계산하세요.

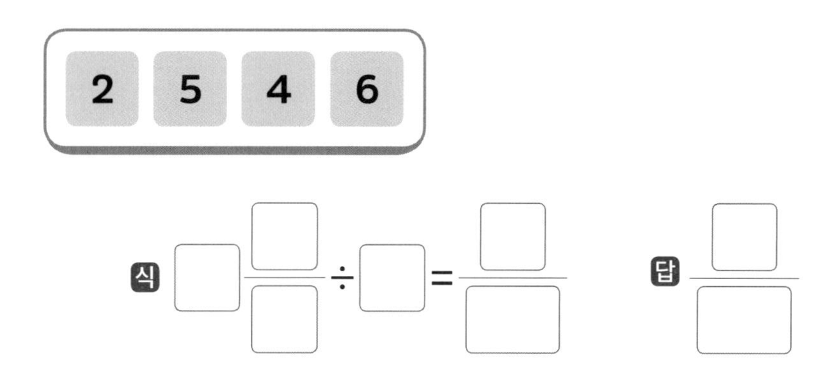


5 직사각형의 넓이가 $10\frac{4}{5}$ m$^2$이고 세로가 8 m일 때 가로를 구하세요.

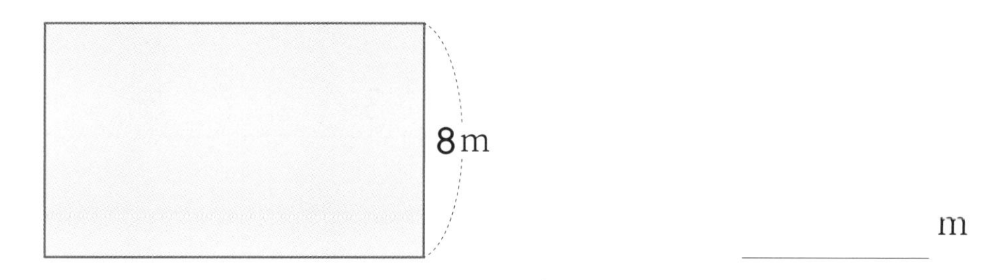


m

6 페인트 3통으로 벽면 $12\frac{3}{7}$ m$^2$를 칠했습니다. 페인트 한 통으로 칠한 벽면의 넓이는 몇 m$^2$인지 구하세요.

식 ______ 답 ______ m$^2$

# 형성평가

**1** 나눗셈의 몫만큼 색칠하고, 몫을 분수로 나타내세요.

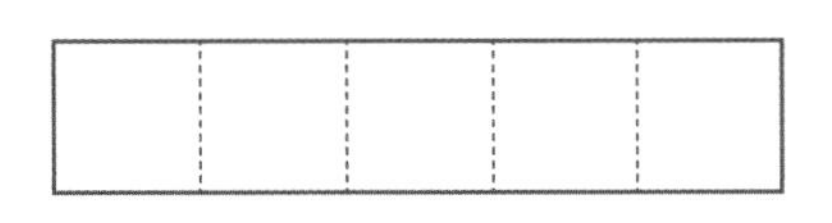

$1 \div 5 = \frac{\square}{\square}$

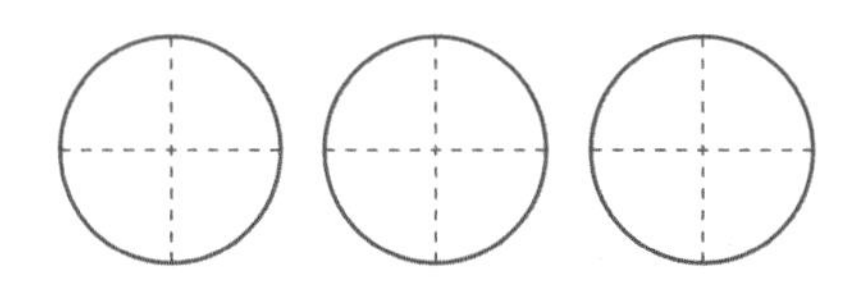

$3 \div 4 = \frac{\square}{\square}$

**2** 관계있는 것끼리 선으로 이으세요.

| $5 \div 3$ | $7 \div 8$ | $3 \div 6$ | $14 \div 4$ |
|---|---|---|---|

| $\frac{1}{2}$ | $3\frac{1}{2}$ | $1\frac{2}{3}$ | $\frac{3}{5}$ | $\frac{7}{8}$ |
|---|---|---|---|---|

**3** 빈칸에 알맞은 수를 쓰세요.

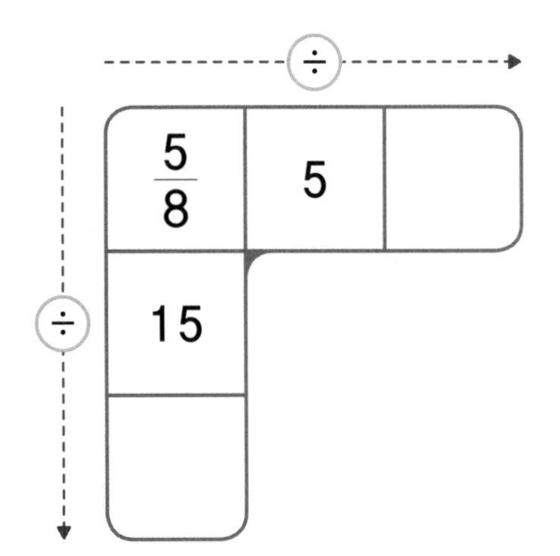


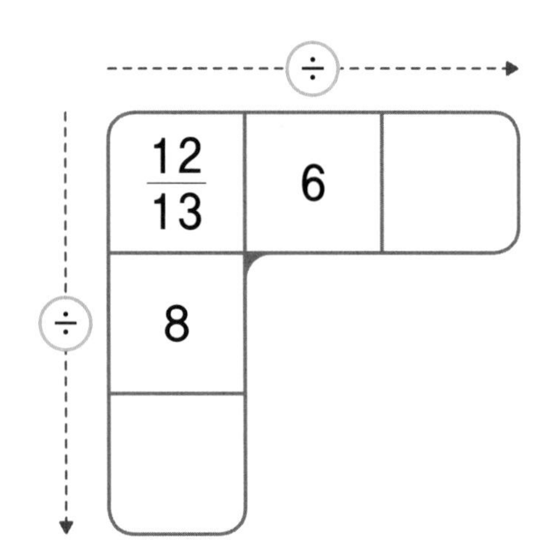

4 철사 $\frac{6}{7}$ m를 모두 사용하여 정삼각형 1개를 만들었습니다. 이 정삼각형의 한 변의 길이는 몇 m인가요?

식 ______________ 답 __________ m

5 나눗셈의 몫이 다른 하나에 ○표 하세요.

| $\frac{5}{6} \div 5$ | $\frac{4}{7} \div 2$ | $\frac{2}{3} \div 4$ |
| --- | --- | --- |
| $\frac{9}{10} \div 3$ | $\frac{9}{5} \div 6$ | $\frac{7}{10} \div 14$ |

6 빈칸에 알맞은 수를 쓰세요.

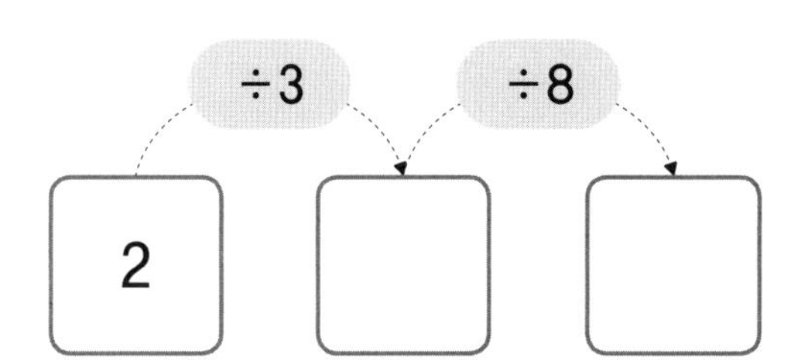


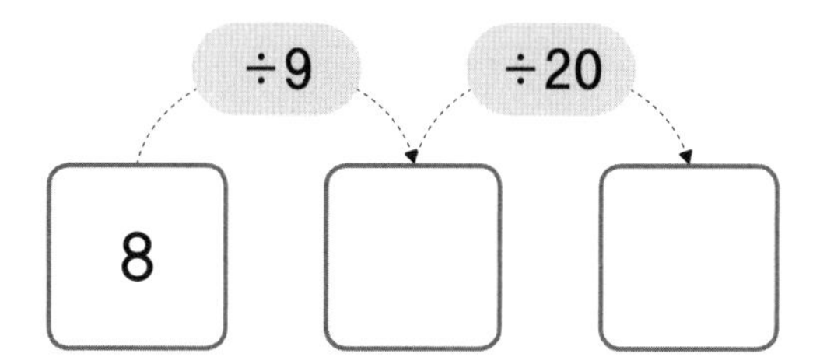

7 □ 안에 알맞은 수를 쓰세요.

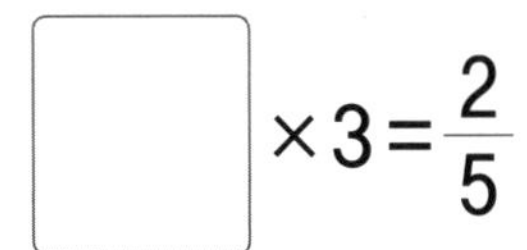

$\square \times 3 = \frac{2}{5}$

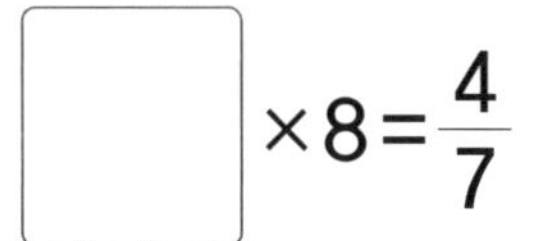

$\square \times 8 = \frac{4}{7}$

8 수 카드 4장을 모두 사용하여 몫이 가장 크게 되는 나눗셈식을 만들고 계산하세요.

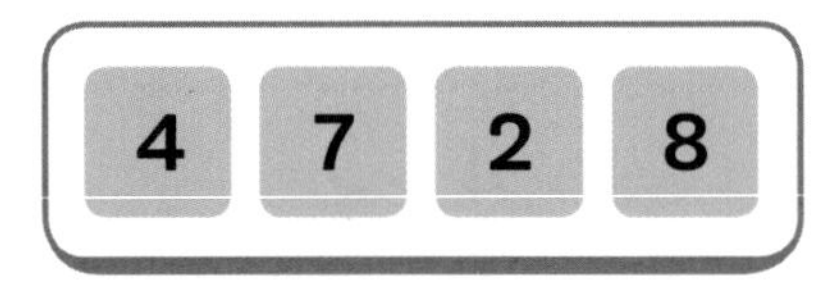


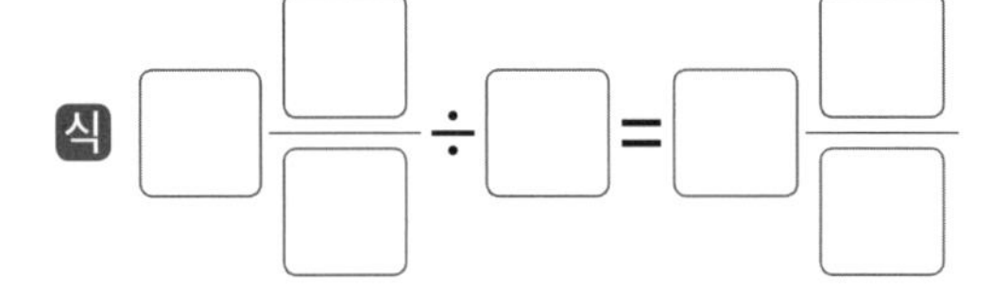


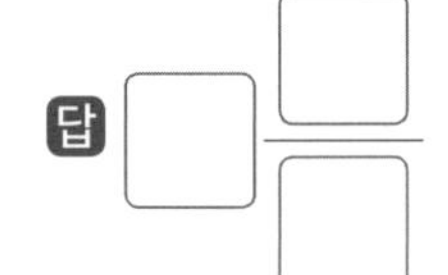


9 평행사변형의 넓이가 $10\frac{4}{5}$ m$^2$이고 가로가 3 m일 때 세로를 구하세요.

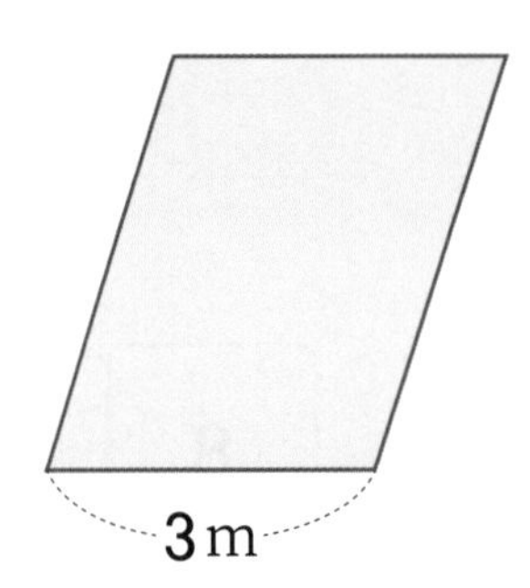


__________ m

2주차

# 분수와 분수의 나눗셈

분모가 같거나 다른 분수의 나눗셈을 알아보기

# 421 분모가 같은 분수의 나눗셈

개념원리

분모가 같은 분수의 나눗셈을 나누는 분수만큼 묶어 세어 구해 봅시다.

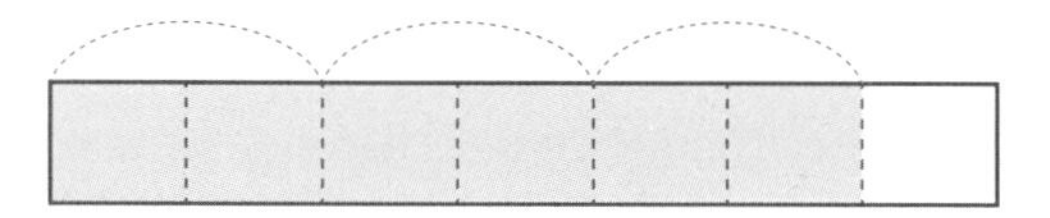

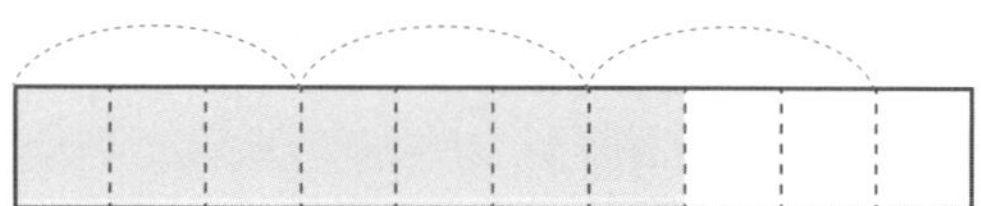

$\frac{6}{7} \div \frac{2}{7} = \boxed{6} \div \boxed{2} = \boxed{3}$

$\frac{6}{7}$은 $\frac{1}{7}$이 6개이고 $\frac{2}{7}$는 $\frac{1}{7}$이 2개이므로
6개를 2개로 나누는 것과 같습니다.
6개를 2개씩 묶으면 3묶음이 됩니다.

$\frac{7}{10} \div \frac{3}{10} = \boxed{7} \div \boxed{3} = \frac{\boxed{7}}{\boxed{3}} = \boxed{2}\frac{\boxed{1}}{\boxed{3}}$

$\frac{7}{10}$은 $\frac{1}{10}$이 7개이고 $\frac{3}{10}$은 $\frac{1}{10}$이 3개이므로
7개를 3개로 나누는 것과 같습니다.
7개를 3개씩 묶으면 2묶음과 $\frac{1}{3}$묶음이 됩니다.

분모가 같은 분수의 나눗셈은 분자끼리 나누어 계산합니다. $\frac{ㄴ}{ㄱ} \div \frac{ㄷ}{ㄱ} = ㄴ \div ㄷ$

$\frac{4}{5} \div \frac{2}{5} = \square \div \square = \square$

$\frac{5}{8} \div \frac{3}{8} = \square \div \square = \frac{\square}{\square} = \square$

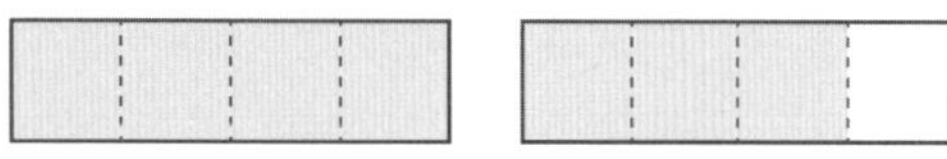

$\frac{7}{4} \div \frac{2}{4} = \square \div \square = \frac{\square}{\square} = \square$

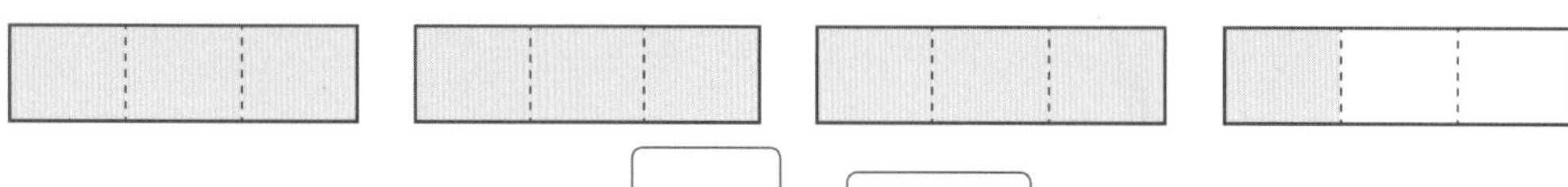

$\frac{10}{3} \div \frac{4}{3} = \square \div \square = \frac{\square}{\square} = \square$

$\frac{3}{7} \div \frac{1}{7}$

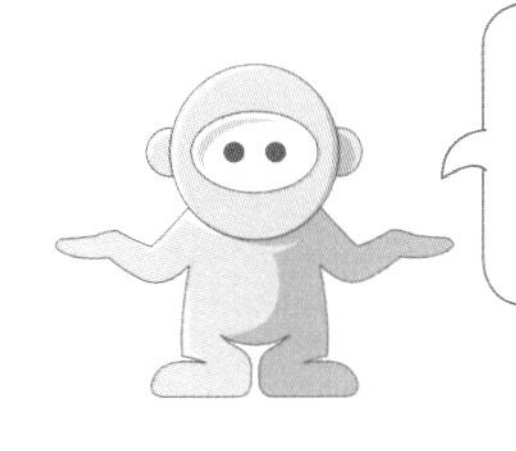

계산 결과는 기약분수로
나타내고, 가분수이면
대분수로 나타냅니다.


$\frac{2}{5} \div \frac{3}{5}$

$\frac{8}{3} \div \frac{5}{3}$

$\frac{4}{6} \div \frac{7}{6}$

$\frac{10}{9} \div \frac{4}{9}$

$\frac{12}{7} \div \frac{8}{7}$

$\frac{11}{12} \div \frac{6}{12}$

$\frac{8}{9} \div \frac{2}{9}$

$\frac{23}{10} \div \frac{14}{10}$

$\frac{16}{11} \div \frac{6}{11}$

$\frac{17}{21} \div \frac{4}{21}$

1 분수의 나눗셈을 하여 빈칸에 알맞은 수를 쓰세요.

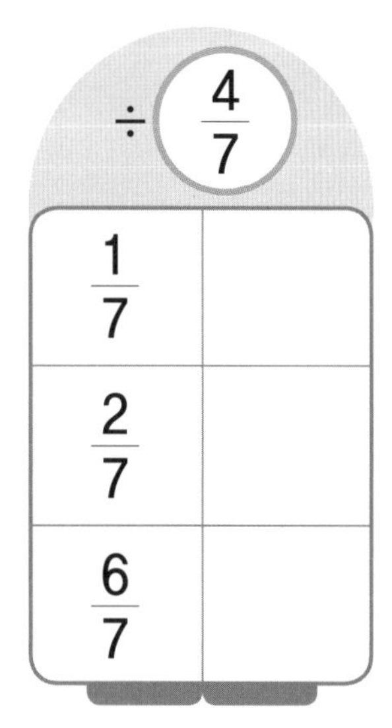


| $\div \frac{10}{13}$ | |
|---|---|
| $\frac{5}{13}$ | |
| $\frac{8}{13}$ | |
| $\frac{25}{13}$ | |

2 계산 결과가 가장 큰 것에 ◯표, 가장 작은 것에 △표 하세요.

| $\frac{10}{6} \div \frac{5}{6}$ | $\frac{3}{8} \div \frac{1}{8}$ | $\frac{2}{5} \div \frac{4}{5}$ | $\frac{7}{9} \div \frac{2}{9}$ |
|---|---|---|---|

| $\frac{4}{7} \div \frac{3}{7}$ | $\frac{13}{15} \div \frac{4}{15}$ | $\frac{11}{4} \div \frac{3}{4}$ | $\frac{21}{11} \div \frac{6}{11}$ |
|---|---|---|---|

3 그림에 알맞은 진분수끼리의 나눗셈식을 만들고 계산하세요.

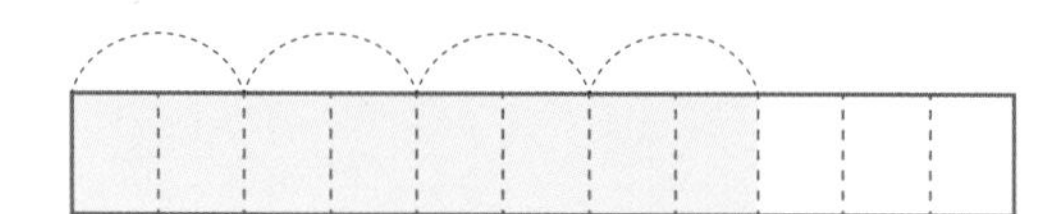

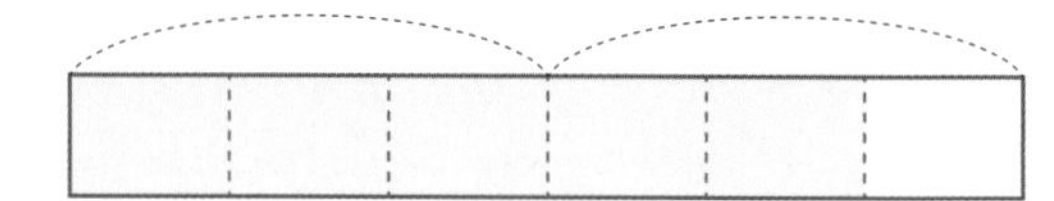

4 수직선을 보고 ㉡÷㉠의 몫을 구하세요.

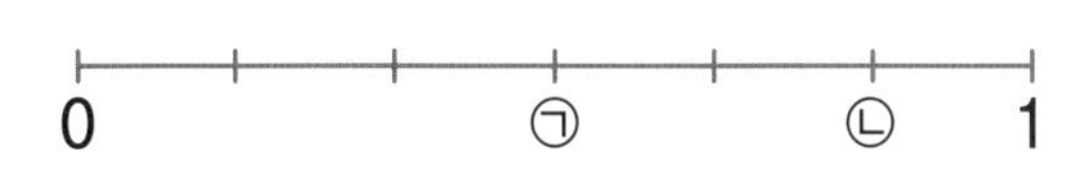


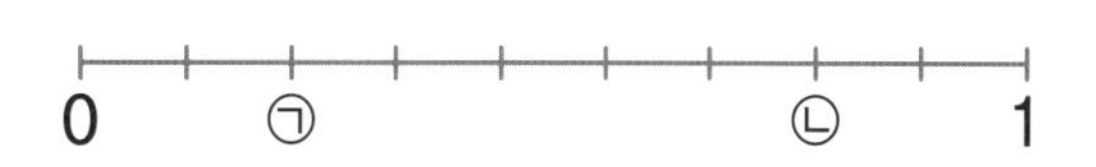


5 오늘 민주는 수학 공부를 $\frac{11}{12}$시간 동안 하였고, 수지는 $\frac{5}{12}$시간 동안 하였습니다. 민주가 수학 공부를 한 시간은 수지가 수학 공부를 한 시간의 몇 배인지 구하세요.

6 주스 $\frac{10}{11}$ L를 한 병에 $\frac{2}{11}$ L씩 똑같이 나누어 담으려고 합니다. 남김없이 담으려면 몇 병이 필요한가요?

식 ______ 답 ______ 병

# 분모가 다른 분수의 나눗셈

개념원리

분모가 다른 분수의 나눗셈을 알아봅시다.

$$\frac{5}{9} \div \frac{5}{18} = \frac{\boxed{10}}{18} \div \frac{5}{18} = \boxed{10} \div \boxed{5} = \boxed{2}$$

$$\frac{3}{4} \div \frac{1}{6} = \frac{\boxed{9}}{12} \div \frac{2}{12} = \boxed{9} \div \boxed{2} = \frac{\boxed{9}}{\boxed{2}} = \boxed{4}\frac{\boxed{1}}{\boxed{2}}$$

분모가 다른 분수의 나눗셈은 통분하여 분모를 같게 만든 후 분자끼리 나누어 구합니다.

$$\frac{1}{2} \div \frac{3}{8} = \frac{\square}{8} \div \frac{3}{8} = \square \div \square = \frac{\square}{\square} = \square\frac{\square}{\square}$$

$$\frac{5}{6} \div \frac{1}{2} = \frac{5}{6} \div \frac{\square}{6} = \square \div \square = \frac{\square}{\square} = \square\frac{\square}{\square}$$

$$\frac{2}{3} \div \frac{2}{5} = \frac{\square}{15} \div \frac{\square}{15} = \square \div \square = \frac{\overset{\square}{\cancel{\square}}}{\underset{\square}{\cancel{\square}}} = \square\frac{\square}{\square}$$

$$\frac{3}{8} \div \frac{1}{12} = \frac{\square}{24} \div \frac{\square}{24} = \square \div \square = \frac{\square}{\square} = \square\frac{\square}{\square}$$

$\frac{1}{4} \div \frac{1}{8}$

$\frac{2}{3} \div \frac{5}{6}$

$\frac{1}{2} \div \frac{3}{10}$

$\frac{8}{9} \div \frac{2}{3}$

$\frac{4}{5} \div \frac{4}{15}$

$\frac{6}{7} \div \frac{2}{5}$

$\frac{2}{3} \div \frac{7}{9}$

$\frac{9}{11} \div \frac{3}{7}$

$\frac{4}{15} \div \frac{1}{6}$

$\frac{3}{10} \div \frac{5}{8}$

$\frac{3}{4} \div \frac{6}{7}$

$\frac{7}{12} \div \frac{2}{9}$

1 빈칸에 알맞은 수를 쓰세요.

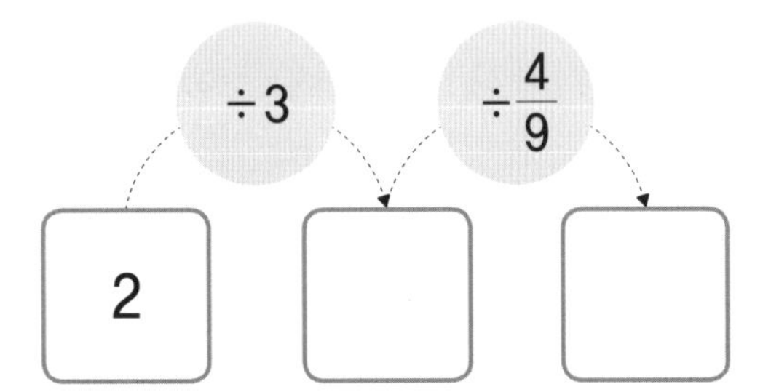


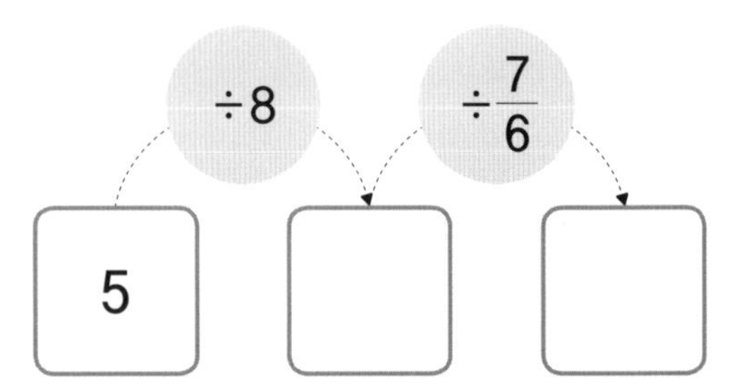


2 큰 수를 작은 수로 나눈 몫을 구하세요.

| $\frac{5}{8}$ | $\frac{6}{7}$ |
|---|---|

______________

| $\frac{7}{15}$ | $\frac{11}{20}$ |
|---|---|

______________

3 □ 안에 알맞은 수를 쓰세요.

$\square \times \frac{8}{9} = \frac{10}{27}$

$\square \times \frac{5}{12} = \frac{25}{32}$

4 다음 중 두 수를 골라 몫이 가장 큰 나눗셈식을 만들고 몫을 구하세요.

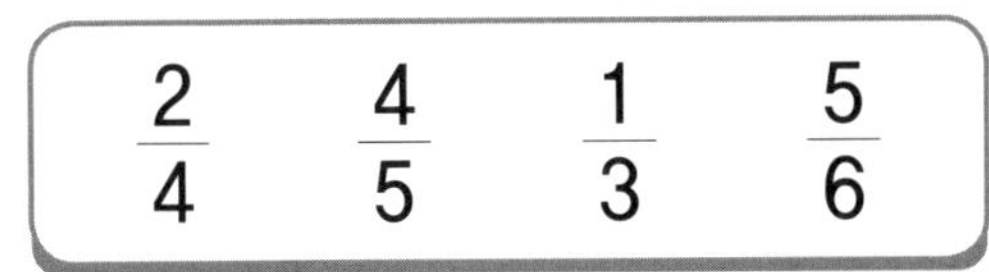


식 

답

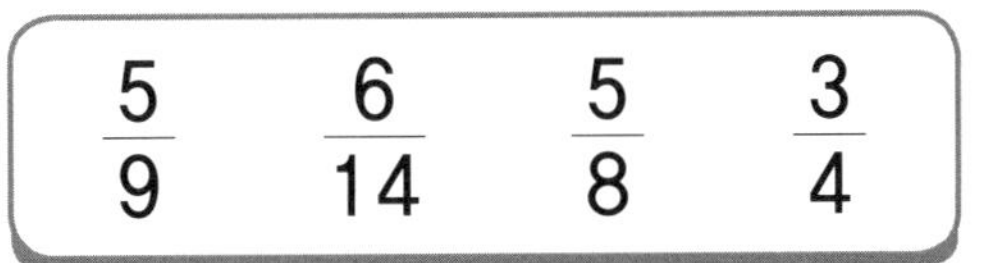


식 

답

5 굵기가 일정한 밧줄 $\frac{8}{11}$ m의 무게가 $\frac{6}{7}$ kg입니다. 밧줄 1 m의 무게는 얼마인지 구하세요.

식 

답 ______ kg

6 길이가 $\frac{4}{3}$ m인 색 테이프를 한 사람에게 $\frac{4}{9}$ m씩 나누어 준다면 모두 몇 명에게 나누어 줄 수 있을까요?

식 ______

답 ______ 명

# (자연수)÷(분수)

자연수와 분수의 나눗셈을 알아봅시다.

[방법 1] $6\div\frac{2}{5}=\frac{\boxed{30}}{5}\div\frac{2}{5}=\boxed{30}\div\boxed{2}=\boxed{15}$

통분하여 분모를 같게 만든 후 분자끼리 나누어 구합니다.

[방법 2] $6\div\frac{2}{5}=\overset{\boxed{3}}{\cancel{6}}\times\frac{\boxed{5}}{\underset{\boxed{1}}{\cancel{\boxed{2}}}}=\boxed{15}$

분수의 곱셈으로 나타내어 계산합니다. 계산 과정에서 약분이 되면 약분을 먼저 하고 계산합니다.

[방법 1] $9\div\frac{3}{2}=\frac{\boxed{\phantom{0}}}{2}\div\frac{3}{2}=\boxed{\phantom{0}}\div\boxed{\phantom{0}}=\boxed{\phantom{0}}$

[방법 2] $9\div\frac{3}{2}=\overset{\boxed{\phantom{0}}}{\cancel{9}}\times\frac{\boxed{\phantom{0}}}{\underset{\boxed{\phantom{0}}}{\cancel{\boxed{\phantom{0}}}}}=\boxed{\phantom{0}}$

---

[방법 1] $8\div\frac{6}{7}=\frac{\boxed{\phantom{0}}}{7}\div\frac{6}{7}=\boxed{\phantom{0}}\div\boxed{\phantom{0}}=\frac{\boxed{\phantom{0}}}{\boxed{\phantom{0}}}=\boxed{\phantom{0}}\frac{\boxed{\phantom{0}}}{\boxed{\phantom{0}}}$

[방법 2] $8\div\frac{6}{7}=\overset{\boxed{\phantom{0}}}{\cancel{8}}\times\frac{\boxed{\phantom{0}}}{\underset{\boxed{\phantom{0}}}{\cancel{\boxed{\phantom{0}}}}}=\frac{\boxed{\phantom{0}}}{\boxed{\phantom{0}}}=\boxed{\phantom{0}}\frac{\boxed{\phantom{0}}}{\boxed{\phantom{0}}}$

$8 \div \frac{1}{4}$

$5 \div \frac{2}{3}$

$2 \div \frac{6}{5}$

$4 \div \frac{7}{10}$

$3 \div \frac{3}{8}$

$10 \div \frac{4}{5}$

$8 \div \frac{6}{11}$

$2 \div \frac{10}{3}$

$6 \div \frac{4}{9}$

$12 \div \frac{4}{7}$

$9 \div \frac{12}{5}$

$20 \div \frac{16}{15}$

1 빈칸에 알맞은 수를 쓰세요.

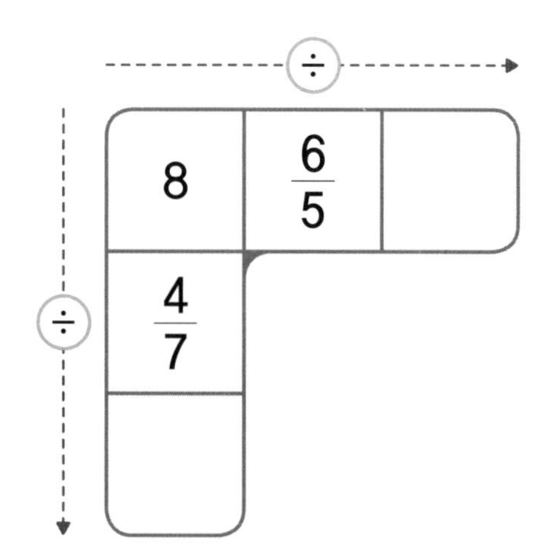


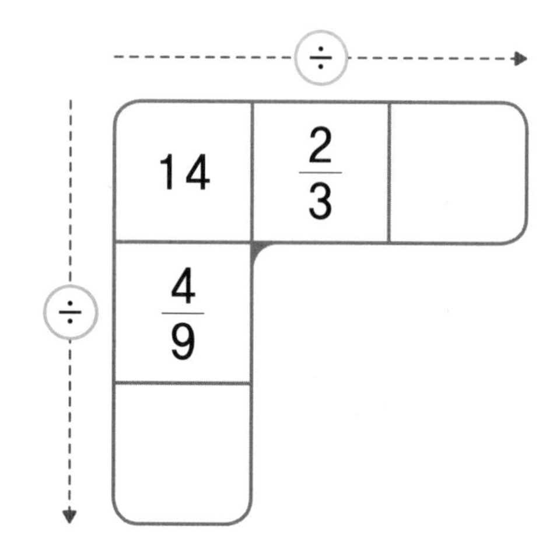


2 계산 결과가 자연수인 것을 모두 찾아 ○표 하세요.

| $5 \div \frac{9}{10}$ | $6 \div \frac{3}{4}$ | $4 \div \frac{6}{7}$ | $7 \div \frac{7}{5}$ | $12 \div \frac{8}{5}$ |
|---|---|---|---|---|

3 다음과 같이 계산해 보세요.

$$6 \div \frac{2}{5} = (6 \div 2) \times 5 = 15$$

$9 \div \frac{3}{4} =$ __________

$14 \div \frac{2}{9} =$ __________

4 수 카드 4장 중 3장을 한 번씩 사용하여 (자연수) ÷ (진분수)의 식을 만들려고 합니다. 나올 수 있는 몫 중에서 가장 큰 몫과 가장 작은 몫을 각각 구하세요.

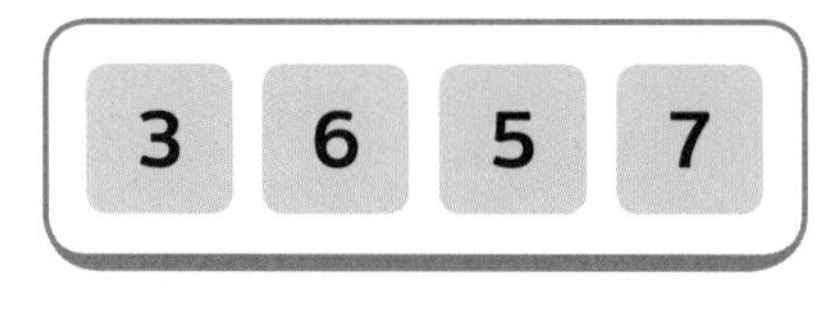


가장 큰 몫: ________

가장 작은 몫: ________

가장 큰 몫: ________

가장 작은 몫: ________

5 냉장고에 우유 6 L가 있습니다. 우유를 하루에 $\frac{3}{5}$ L씩 마신다면 며칠 동안 마실 수 있는지 구하세요.

식 ________ 답 ________ 일

6 진우는 4 km를 걷는 데에 $\frac{7}{8}$시간이 걸렸습니다. 같은 빠르기로 걷는다면 한 시간에 몇 km를 갈 수 있을까요?

식 ________ 답 ________ km

4일

# 424 진분수, 가분수, 대분수의 나눗셈

곱셈을 이용하여 분수의 나눗셈을 해 봅시다.

$$\frac{3}{4} \div \frac{5}{8} = \frac{\cancel{3}}{\cancel{4}_{1}} \times \frac{\cancel{8}^{2}}{5} = \frac{6}{5} = 1\frac{1}{5}$$

분수의 나눗셈을 분수의 곱셈으로 나타내어 계산합니다. 계산 과정에서 약분이 되면 약분을 먼저 하고 계산합니다.

$$1\frac{1}{3} \div 1\frac{1}{5} = \frac{4}{3} \div \frac{6}{5} = \frac{\cancel{4}^{2}}{3} \times \frac{5}{\cancel{6}_{3}} = \frac{10}{9} = 1\frac{1}{9}$$

대분수의 나눗셈은 대분수를 가분수로 고친 후 분수의 곱셈으로 나타내어 계산합니다.
계산 과정에서 약분이 되면 약분을 먼저 하고 계산합니다.

$$\frac{6}{7} \div \frac{8}{9} = \frac{\cancel{6}^{\square}}{7} \times \frac{\square}{\cancel{\square}_{\square}} = \frac{\square}{\square}$$

$$\frac{5}{9} \div \frac{4}{3} = \frac{5}{\cancel{9}_{\square}} \times \frac{\cancel{\square}^{\square}}{\square} = \frac{\square}{\square}$$

$$3\frac{1}{2} \div \frac{3}{4} = \frac{\square}{2} \div \frac{3}{4} = \frac{\square}{\cancel{2}_{\square}} \times \frac{\cancel{\square}^{\square}}{\square} = \frac{\square}{\square} = \square\frac{\square}{\square}$$

$$2\frac{2}{3} \div 1\frac{3}{7} = \frac{\square}{3} \div \frac{\square}{7} = \frac{\cancel{\square}^{\square}}{3} \times \frac{\square}{\cancel{\square}_{\square}} = \frac{\square}{\square} = \square\frac{\square}{\square}$$

$\frac{4}{5} \div \frac{4}{15}$

$\frac{7}{2} \div \frac{2}{3}$

$\frac{10}{3} \div \frac{10}{4}$

$\frac{5}{6} \div \frac{3}{8}$

$1\frac{2}{3} \div \frac{2}{3}$

$\frac{1}{2} \div 2\frac{3}{8}$

$\frac{7}{4} \div 2\frac{1}{6}$

$2\frac{2}{5} \div 1\frac{3}{5}$

$3\frac{3}{7} \div \frac{9}{14}$

$\frac{2}{3} \div 1\frac{4}{9}$

$2\frac{2}{9} \div 1\frac{5}{10}$

$2\frac{5}{8} \div 2\frac{7}{10}$

1 분수의 나눗셈을 하여 빈칸에 알맞은 수를 쓰세요.

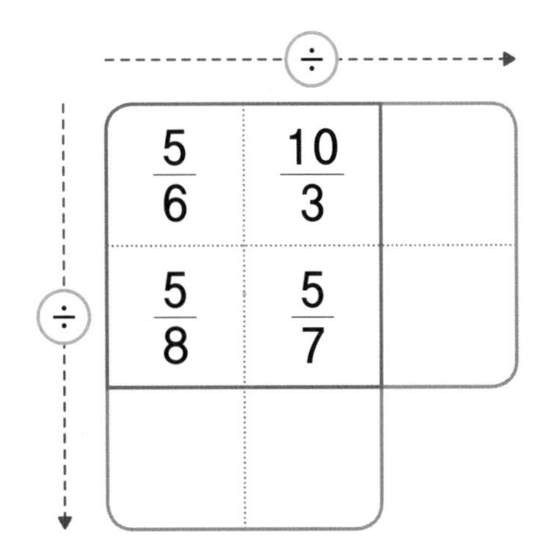


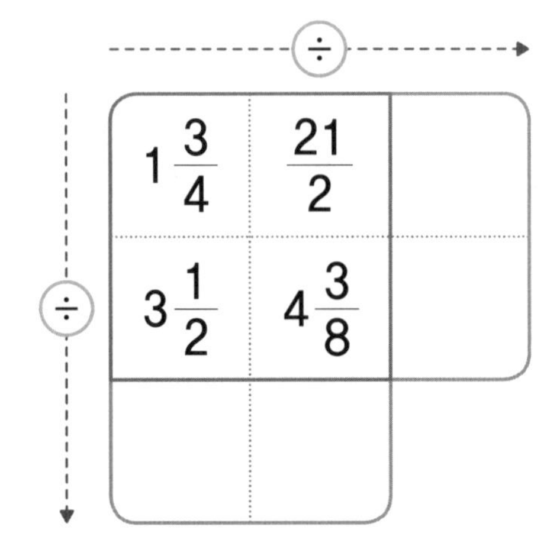


2 ◯ 안에 >, =, <를 알맞게 넣으세요.

$\frac{1}{2} \div \frac{3}{8}$ ◯ $\frac{2}{5} \div \frac{6}{10}$

$2 \div \frac{6}{7}$ ◯ $\frac{5}{6} \div \frac{3}{10}$

$1\frac{2}{4} \div \frac{2}{3}$ ◯ $2\frac{1}{7} \div 1\frac{1}{4}$

$\frac{9}{14} \div 1\frac{4}{7}$ ◯ $\frac{7}{9} \div 2\frac{2}{3}$

3 계산 결과가 1보다 작은 것을 모두 찾아 ◯표 하세요.

| $\frac{7}{2} \div \frac{9}{4}$ | $\frac{3}{4} \div \frac{5}{8}$ | $\frac{7}{3} \div \frac{17}{6}$ | $\frac{7}{6} \div \frac{6}{7}$ | $\frac{11}{8} \div \frac{8}{5}$ |
|---|---|---|---|---|

4 다음과 같이 2가지 방법으로 계산해 보세요.

**방법1** 통분하여 분모를 같게 만든 후 분자끼리 나누어 구합니다.

$1\frac{2}{3}\div2\frac{1}{2}=\frac{5}{3}\div\frac{5}{2}=\frac{10}{6}\div\frac{15}{6}=10\div15=\frac{2}{3}$

**방법2** 분수의 곱셈으로 바꾸어 계산합니다.

$1\frac{2}{3}\div2\frac{1}{2}=\frac{5}{3}\div\frac{5}{2}=\frac{\cancel{5}^{1}}{3}\times\frac{2}{\cancel{5}_{1}}=\frac{2}{3}$

**방법1** $3\frac{3}{5}\div2\frac{7}{10}=$ __________

**방법2** $3\frac{3}{5}\div2\frac{7}{10}=$ __________

5 주어진 나눗셈의 계산 결과가 자연수일 때 □ 안에 들어갈 수 있는 1보다 큰 자연수를 모두 쓰세요.

$\frac{10}{\square}\div\frac{5}{8}$

$1\frac{5}{9}\div\frac{\square}{18}$

__________ __________

6 $1\frac{1}{4}$ L의 휘발유로 $6\frac{3}{7}$ km를 가는 자동차가 있습니다. 이 자동차는 1 L의 휘발유로 몇 km를 갈 수 있을까요?

__________ 답 __________ km

# 형성평가

1 분수의 나눗셈을 하여 빈칸에 알맞은 수를 쓰세요.

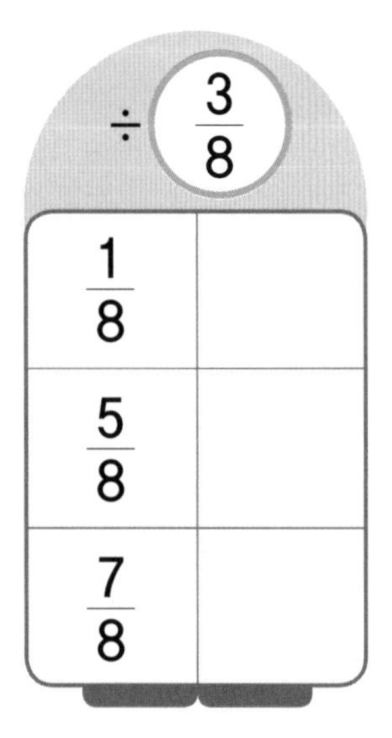


| $\div \frac{8}{11}$ | |
|---|---|
| $\frac{2}{11}$ | |
| $\frac{6}{11}$ | |
| $\frac{10}{11}$ | |

2 그림에 알맞은 진분수끼리의 나눗셈식을 만들고 계산하세요.

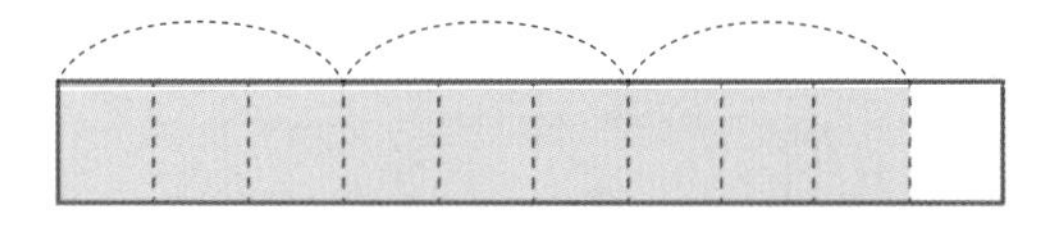

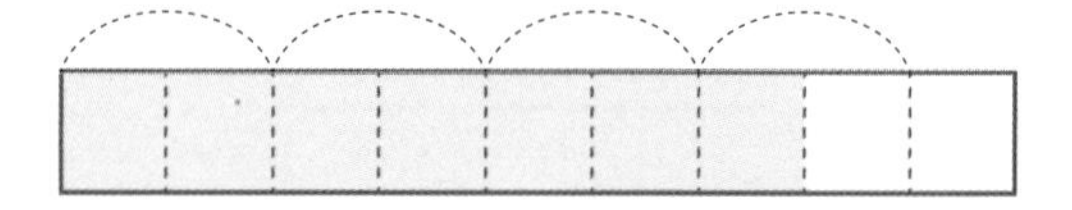

3 호스 $\frac{5}{8}$ m의 무게가 $\frac{1}{4}$ kg입니다. 호스 1 m의 무게는 얼마인지 구하세요.

 식

 답 kg

4 □ 안에 알맞은 수를 쓰세요.

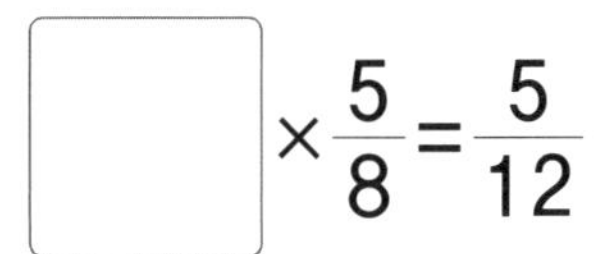

$\square \times \frac{5}{8} = \frac{5}{12}$

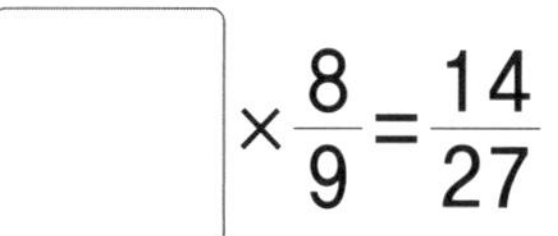

$\square \times \frac{8}{9} = \frac{14}{27}$

5 수 카드 4장 중 3장을 한 번씩 사용하여 (자연수)÷(진분수)의 식을 만들려고 합니다. 나올 수 있는 몫 중에서 가장 큰 몫과 가장 작은 몫을 각각 구하세요.

| 3 | 2 | 6 | 8 |
|---|---|---|---|

가장 큰 몫: ________, 가장 작은 몫: ________

6 다음과 같이 2가지 방법으로 계산해 보세요.

**방법1** 통분하여 분모를 같게 만든 후 분자끼리 나누어 구합니다.

$\frac{3}{4} \div \frac{5}{6} = \frac{9}{12} \div \frac{10}{12} = 9 \div 10 = \frac{9}{10}$

**방법2** 분수의 곱셈으로 바꾸어 계산합니다.

$\frac{3}{4} \div \frac{5}{6} = \frac{3}{\cancel{4}_2} \times \frac{\cancel{6}^3}{5} = \frac{9}{10}$

**방법1** $\frac{7}{6} \div \frac{8}{9} =$

**방법2** $\frac{7}{6} \div \frac{8}{9} =$

7 ○ 안에 >, =, <를 알맞게 넣으세요.

$\frac{9}{7} \div \frac{9}{10}$ ○ $\frac{4}{7} \div \frac{4}{5}$

$\frac{3}{4} \div \frac{7}{10}$ ○ $\frac{4}{5} \div \frac{5}{8}$

8 계산 결과가 1보다 큰 것을 모두 찾아 ○표 하세요.

| $\frac{6}{7} \div \frac{6}{5}$ | $\frac{5}{8} \div \frac{5}{9}$ | $\frac{7}{5} \div \frac{3}{2}$ | $\frac{7}{9} \div \frac{5}{7}$ | $\frac{13}{6} \div \frac{9}{4}$ |
|---|---|---|---|---|

9 민수의 가방 무게는 $7\frac{1}{3}$ kg이고, 진우의 가방 무게는 $3\frac{5}{9}$ kg입니다. 민수의 가방 무게는 진우의 가방 무게의 몇 배인가요?

식 ______________ 답 ________ 배

# 소수의 나눗셈

(소수)÷(자연수), (소수)÷(소수)의 몫을 구하는 방법 알아보기

# 소수와 자연수의 나눗셈 (1)

(소수) ÷ (자연수)의 몫을 구하는 방법을 알아봅시다.

[방법 1] $5.36 \div 4 = \frac{\boxed{536}}{100} \div 4 = \frac{\boxed{536} \div 4}{100} = \frac{\boxed{134}}{100} = \boxed{1.34}$

분수의 나눗셈으로 바꾸어 계산합니다.

[방법 2] $536 \div 4 = \boxed{134}$ ➡ $5.36 \div 4 = \boxed{1.34}$

($\frac{1}{100}$, $\frac{\boxed{1}}{\boxed{100}}$)

자연수의 나눗셈을 이용하여 계산합니다. 나누어지는 수가 $\frac{1}{100}$배가 되면 몫도 $\frac{1}{100}$배가 됩니다.

[방법 1] $7.5 \div 3 = \frac{\square}{10} \div 3 = \frac{\square \div 3}{10} = \frac{\square}{10} = \square$

[방법 2] $75 \div 3 = \square$ ➡ $7.5 \div 3 = \square$

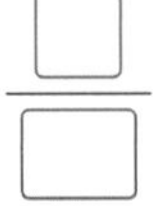

($\frac{1}{10}$, $\frac{\square}{\square}$)

---

[방법 1] $3 \div 4 = \frac{\square}{4} = \frac{\square}{100} = \square$

[방법 2] $300 \div 4 = \square$ ➡ $3 \div 4 = \square$

($\frac{1}{100}$, $\frac{\square}{\square}$)

$70 \div 2$
$7 \div 2$
$0.7 \div 2$

$396 \div 3$
$39.6 \div 3$
$3.96 \div 3$

$980 \div 4$
$98 \div 4$
$9.8 \div 4$
$0.98 \div 4$

$2790 \div 6$
$279 \div 6$
$27.9 \div 6$
$2.79 \div 6$

$2.1 \div 7$

$4.8 \div 4$

$3 \div 5$

$51.6 \div 6$

$7.56 \div 7$

$31.5 \div 9$

$2.53 \div 11$

$6 \div 8$

$8.54 \div 4$

1 빈칸에 알맞은 수를 쓰세요.

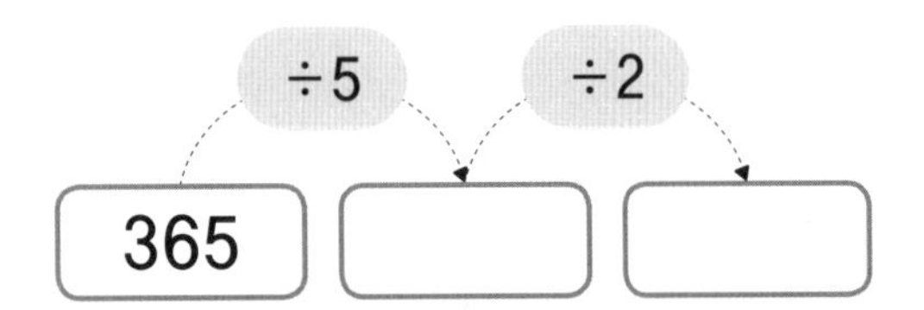


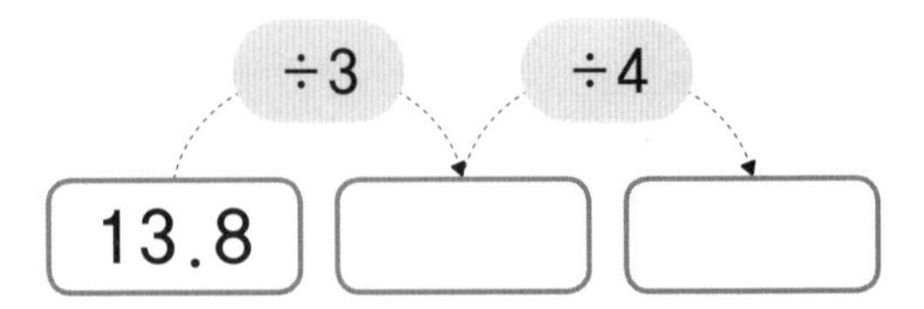


2 몫이 가장 큰 수에 ○표, 가장 작은 수에 △표 하세요.

| $9.72 \div 9$ | $6.93 \div 3$ | $4.2 \div 4$ | $2.76 \div 6$ |
|---|---|---|---|

| $21.6 \div 8$ | $11 \div 4$ | $21.28 \div 7$ | $15.25 \div 5$ |
|---|---|---|---|

3 □ 안에 알맞은 수를 쓰세요.

$2660 \div 4 = 665$

➡ $2.66 \div 4 = \square$

$540 \div 5 = 108$

➡ $\square \div 5 = 1.08$

4 수 카드 4장 중 3장을 한 번씩 사용하여 가장 큰 소수 두 자리 수를 만들고, 남은 수 카드의 수로 나누었을 때의 몫을 구하세요.

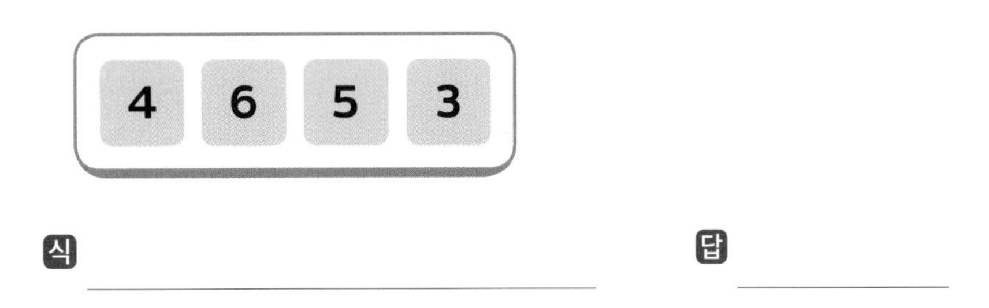


식 ______________ 답 ______

5 주어진 넓이의 도형을 똑같이 나누었습니다. 색칠한 부분의 넓이를 구하세요.

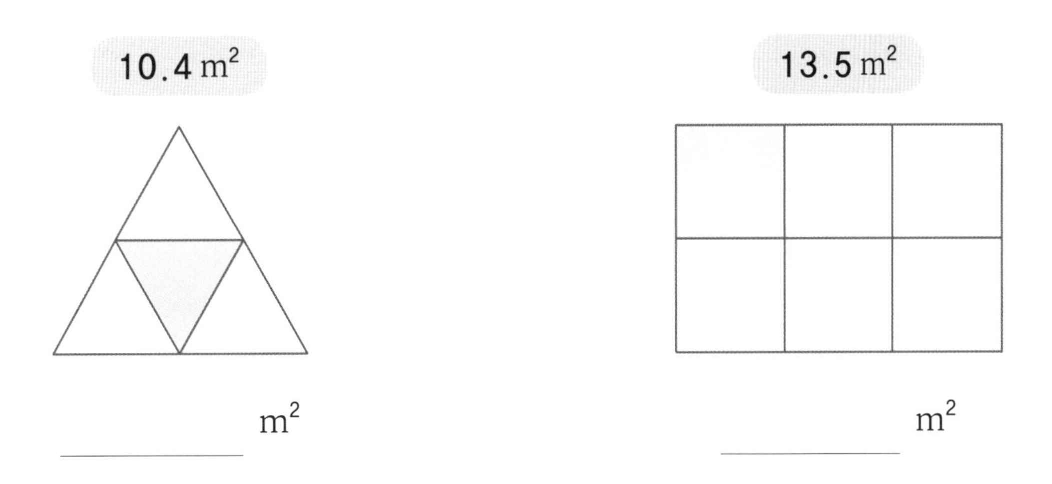


______ $m^2$ ______ $m^2$

6 무게가 같은 상자 8개의 무게를 달았더니 25.2 kg이었습니다. 상자 한 개의 무게는 몇 kg인가요?

식 ______________ 답 ______ kg

# 소수와 자연수의 나눗셈 (2)

(소수) ÷ (자연수), (자연수) ÷ (자연수)의 몫을 세로셈으로 구해 봅시다.

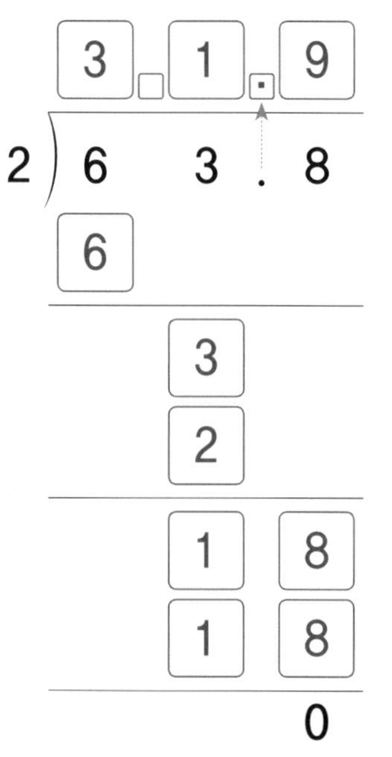

자연수의 나눗셈과 같은 방법으로 구한 뒤, 나누어지는 수의 소수점의 위치에 맞추어 몫에 소수점을 찍습니다.

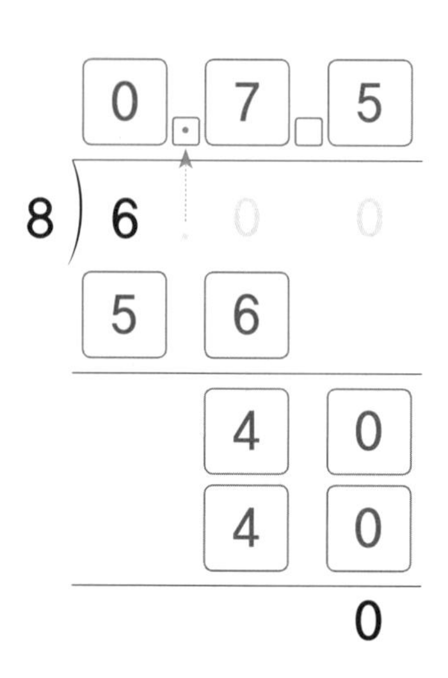

8로 6을 나눌 수 없으므로 몫에 0을 쓰고 0을 하나 받아내려 계산합니다.
더 이상 계산할 수 없을 때까지 받아내림을 하며, 받아내릴 수가 없을 경우 0을 받아내려 계산합니다.

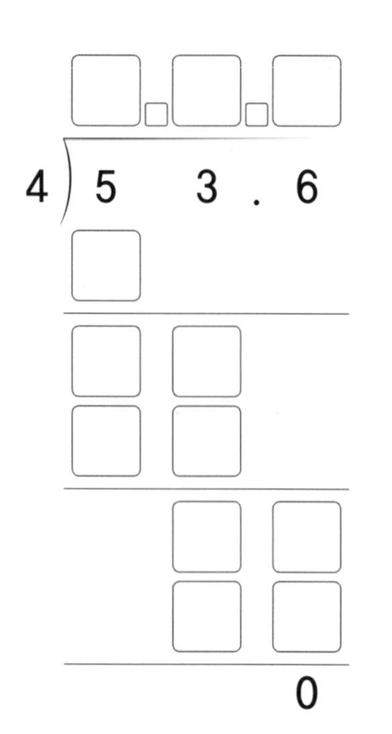

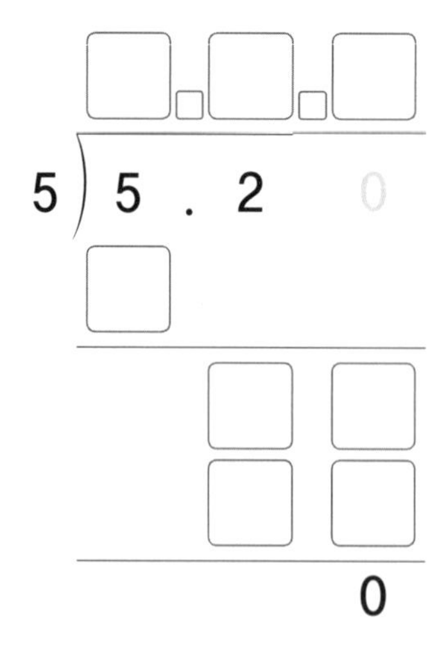

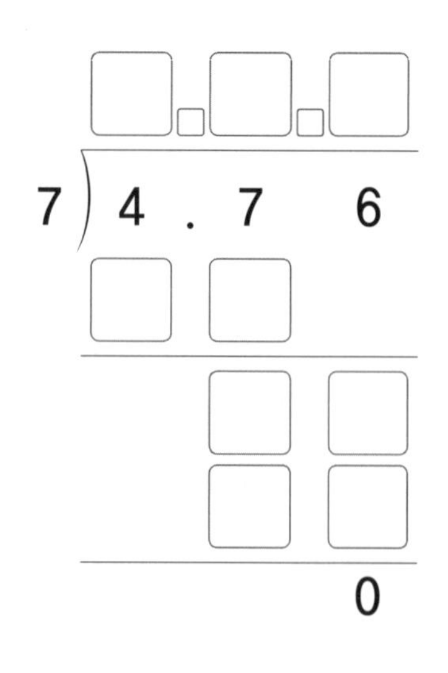

$4\overline{)71.2}$

$7\overline{)37.03}$

$9\overline{)5.67}$

$3\overline{)6.18}$

$8\overline{)8.32}$

$2\overline{)6.7}$

$6\overline{)2.7}$

$8\overline{)34}$

$15\overline{)96}$

1 빈칸에 알맞은 수를 쓰세요.

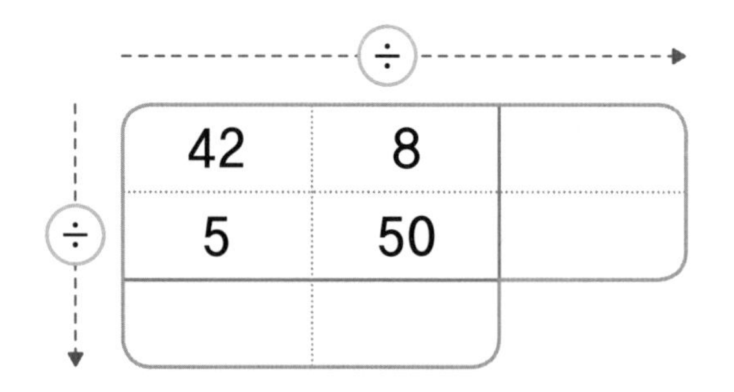


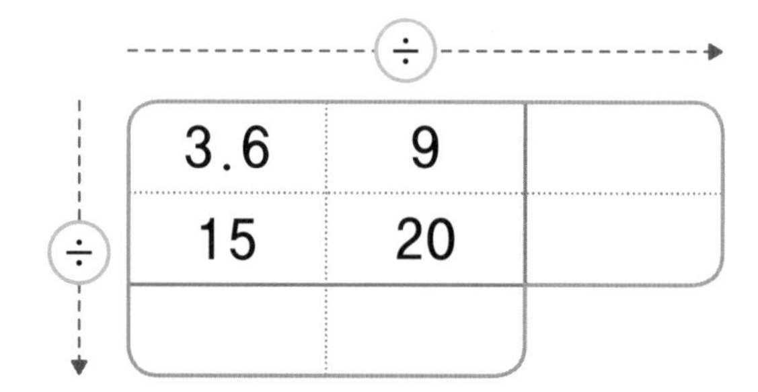


2 ○ 안에 >, =, <를 알맞게 넣으세요.

$4.48 \div 7$ ○ $6.48 \div 9$

$12.72 \div 3$ ○ $50.52 \div 12$

3 □ 안에 들어갈 수 있는 자연수를 모두 쓰세요.

$37.62 \div 9 > \square$

$2.08 \div 4 < 0.\square 3$

4 수 카드 4장 중 2장을 뽑아 나온 두 수로 몫이 가장 작은 나눗셈식을 만들고 몫을 구하세요.

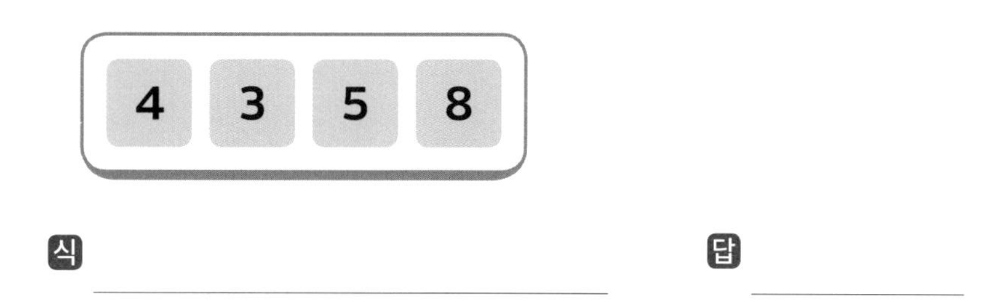


식 ______________________ 답 __________

5 길이가 5.4 m인 도로 한쪽에 가로수 4 그루를 일정한 간격으로 심으려고 합니다. 가로수 사이의 간격을 몇 m로 해야 하는지 구하세요. (단, 가로수의 굵기는 생각하지 않습니다.)

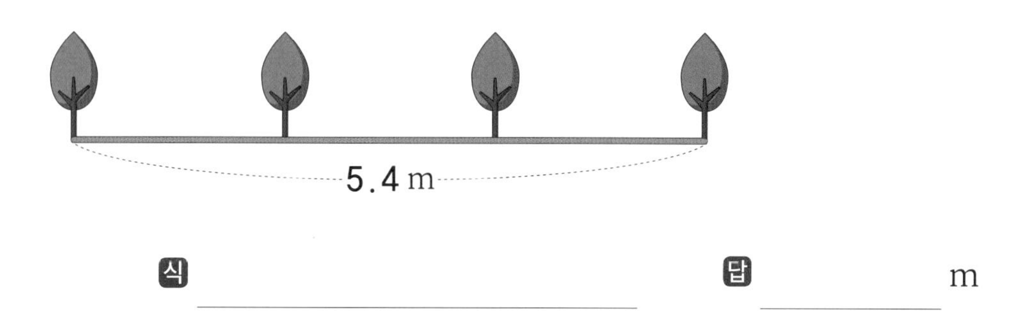


식 ______________________ 답 __________ m

6 어떤 수와 7을 곱하면 4.41이 됩니다. 어떤 수를 9로 나누었을 때의 몫은 얼마인가요?

__________

# 자릿수가 같은 소수의 나눗셈

자릿수가 같은 소수의 나눗셈의 몫을 구하는 방법을 알아봅시다.

[방법 1]

$$9.6 \div 0.4 = \frac{96}{10} \div \frac{4}{10}$$

$$= 96 \div 4$$

$$= 24$$

분수의 나눗셈으로 바꾸어 계산합니다.

[방법 2]

$$\begin{array}{r} 24 \\ 0.4 \overline{) 9.6} \\ 8\phantom{0} \\ \hline 16 \\ 16 \\ \hline 0 \end{array}$$

나누는 수가 자연수가 되도록 나누어지는 수와 나누는 수의 소수점을 똑같이 오른쪽으로 한 자리씩 옮겨서 세로셈으로 계산합니다.

[방법 1]

$$2.4 \div 0.3 = \frac{\square}{10} \div \frac{\square}{10}$$

$$= \square \div \square$$

$$= \square$$

[방법 2]

$$\begin{array}{r} \square \\ 0.3 \overline{) 2.4} \\ \square\square \\ \hline 0 \end{array}$$

---

[방법 1]

$$8.32 \div 0.64 = \frac{\square}{100} \div \frac{\square}{100}$$

$$= \square \div \square$$

$$= \square$$

[방법 2]

$$\begin{array}{r} \square\square \\ 0.64 \overline{) 8.32} \\ \square\square\phantom{0} \\ \hline \square\square\square \\ \square\square\square \\ \hline 0 \end{array}$$

$0.7\overline{)4.9}$

$1.4\overline{)12.6}$

$0.8\overline{)34.4}$

$5.8\overline{)301.6}$

$0.29\overline{)1.74}$

$3.15\overline{)34.65}$

$1.09\overline{)37.06}$

$4.62\overline{)217.14}$

$7.63\overline{)114.45}$

1 □ 안에 알맞은 수를 써넣어 나눗셈을 하세요.

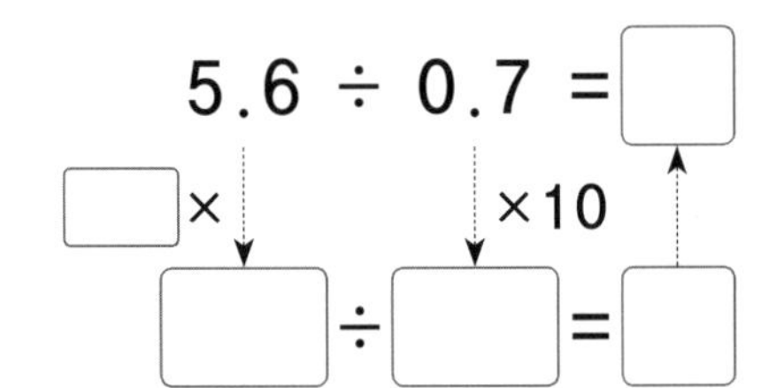


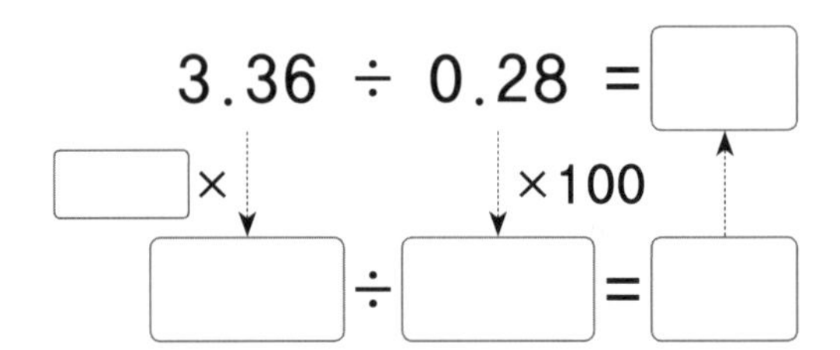


2 계산 결과가 큰 것부터 차례로 1, 2, 3, 4를 쓰세요.

| 2.75÷0.25 | 16.8÷2.8 | 11.2÷1.4 | 8.4÷0.6 |
|---|---|---|---|
| (　　　) | (　　　) | (　　　) | (　　　) |

3 관계있는 것끼리 선으로 이으세요.

| 7.6 | ÷0.5 | 16 |
|---|---|---|
| 20.8 | ÷0.4 | 19 |
| 8.5 | ÷1.3 | 17 |

| 9.54 | ÷2.64 | 9 |
|---|---|---|
| 18.48 | ÷1.06 | 8 |
| 3.92 | ÷0.49 | 7 |

4 넓이가 모두 $39.2\ \text{cm}^2$인 사각형의 세로를 각각 구하여 □ 안에 쓰세요.

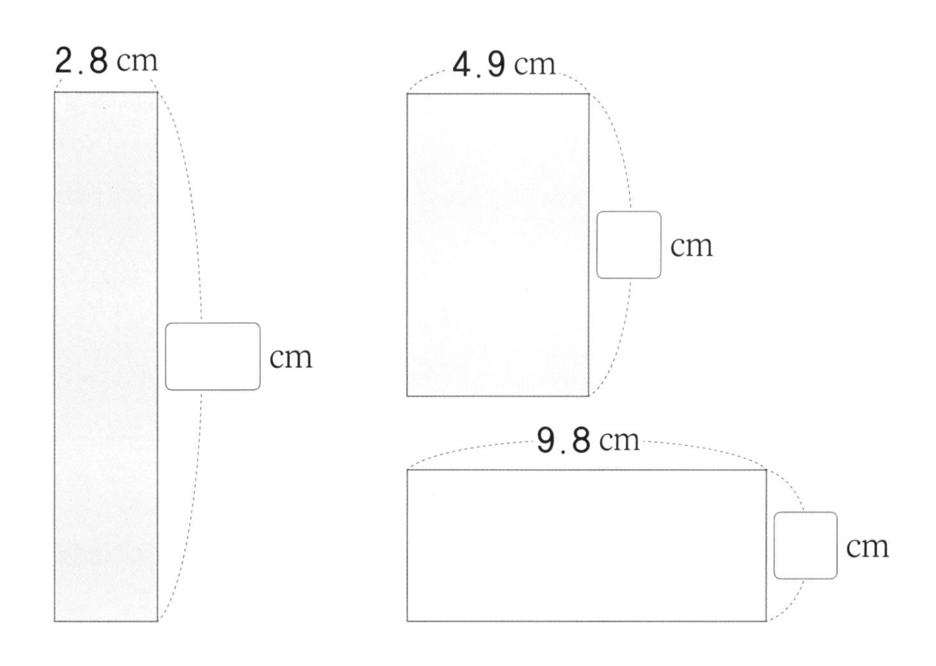


5 콩 22.8 kg을 한 봉지에 0.6 kg씩 담으려고 합니다. 콩을 몇 봉지에 나누어 담을 수 있을까요?

식 ____________________ 답 ________ 봉지

6 물이 1분에 0.27 L씩 새어 나가는 수조가 있습니다. 수조에 14.04 L의 물이 들어 있다면 수조의 물이 모두 없어지는데 걸리는 시간은 몇 분인가요?

식 ____________________ 답 ________ 분

# 428 자릿수가 다른 소수의 나눗셈

자릿수가 다른 소수의 나눗셈의 몫을 구하는 방법을 알아봅시다.

[방법 1]

4.68 ÷ 2.6 = 1.8

×10 ×10

46.8 ÷ 26 = 1.8

나누는 수가 자연수가 되도록 나누는 수와 나누어지는 수를 똑같이 10배하여 계산합니다.

[방법 2]

| | 1 | . | 8 |
|---|---|---|---|
| 2.6 ) | 4 | . 6 | 8 |
| | 2 | 6 | |
| | 2 | 0 | 8 |
| | 2 | 0 | 8 |
| | | | 0 |

나누는 수가 자연수가 되도록 나누어지는 수와 나누는 수의 소수점을 똑같이 오른쪽으로 한 자리씩 옮겨서 세로셈으로 계산합니다.

[방법 1]

6.48 ÷ 1.2 = ☐

×☐ ×10

☐ ÷ ☐ = ☐

[방법 2]

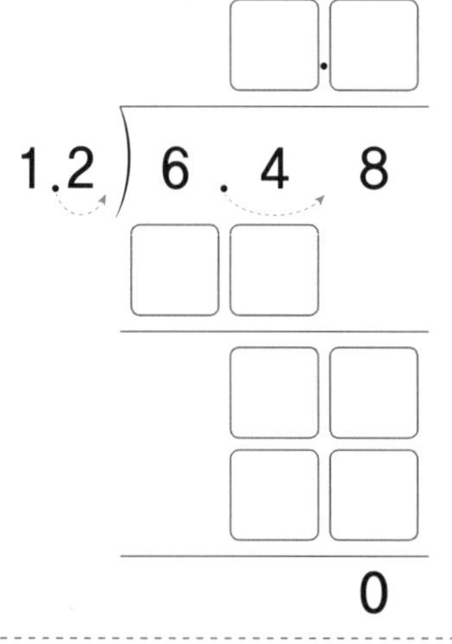

[방법 1]

2.1 ÷ 0.35 = ☐

×☐ ×100

☐ ÷ ☐ = ☐

[방법 2]

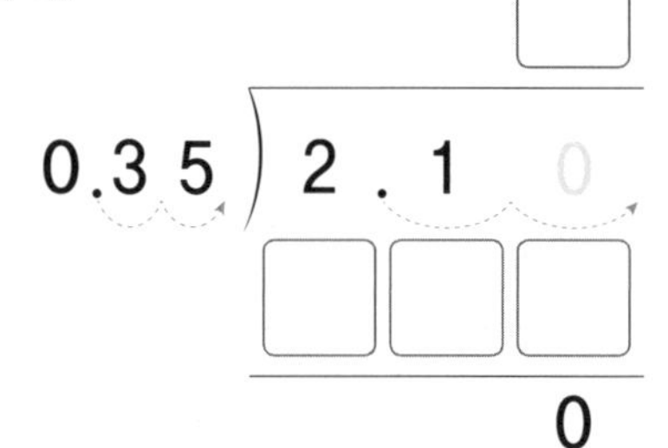

$5.58 \div 0.9$

$9.52 \div 2.8$

$14.31 \div 5.3$

$7.38 \div 4.1$

$24 \div 1.5$

$1.978 \div 0.46$

$6 \div 0.24$

$8.968 \div 2.36$

$32.164 \div 3.74$

1 빈칸에 알맞은 수를 쓰세요.

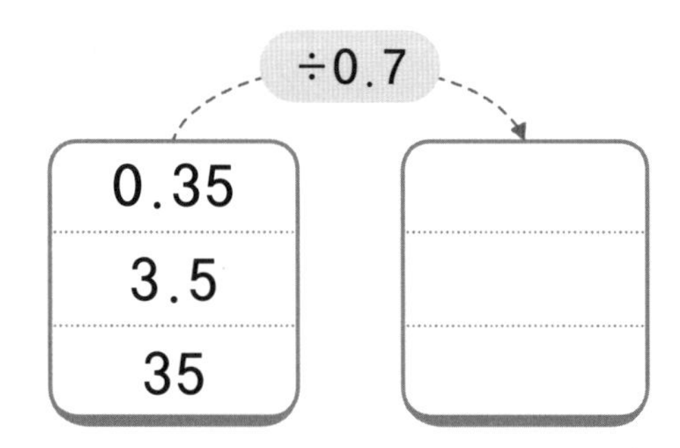


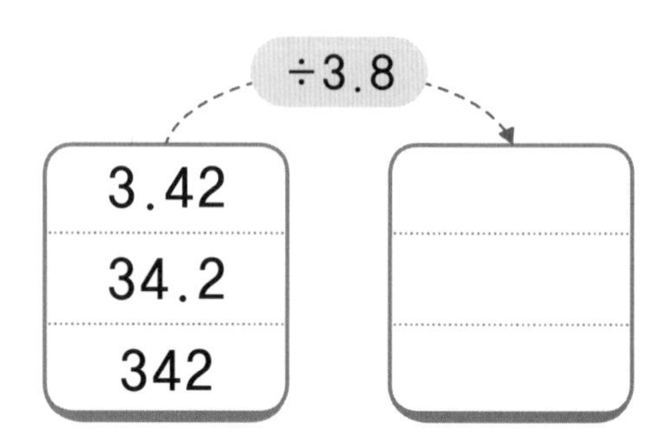


2 ○ 안에 >, =, <를 알맞게 넣으세요.

$8.68 \div 0.7$ ○ $9.1 \div 0.7$　　　　$3.6 \div 0.45$ ○ $3.6 \div 1.5$

3 다음과 같이 소수의 나눗셈을 분수의 나눗셈으로 바꾸어 계산해 보세요.

방법1 $1.26 \div 0.2 = \frac{12.6}{10} \div \frac{2}{10} = 12.6 \div 2 = 6.3$

방법2 $1.26 \div 0.2 = \frac{126}{100} \div \frac{20}{100} = 126 \div 20 = 6.3$

방법1 $3.15 \div 1.5 =$ __________

방법2 $3.15 \div 1.5 =$ __________

4 다음은 **가**, **나**, **다** 3개의 회사에서 파는 사과 주스의 가격입니다.

| 회사 | 양(L) | 가격(원) |
| --- | --- | --- |
| 가 | 0.4 | 852 |
| 나 | 0.6 | 1170 |
| 다 | 1.2 | 2460 |

각 회사의 주스 1 L당 가격을 각각 구하세요.

가: ______ 원, 나: ______ 원, 다: ______ 원

어느 회사의 사과 주스를 사는 것이 가장 저렴할까요?

______ 회사

5 어떤 수를 1.5로 나누어야 하는데 잘못하여 곱했더니 54가 되었습니다. 바르게 계산하면 얼마일까요?

______

6 둘레가 263.5 m인 원 모양의 공원이 있습니다. 이 공원의 둘레에 4.25 m 간격으로 가로수를 심을 때 가로수는 모두 몇 그루 심을 수 있을까요?

식 ______ 답 ______ 그루

# 형성평가

1 빈칸에 알맞은 수를 쓰세요.

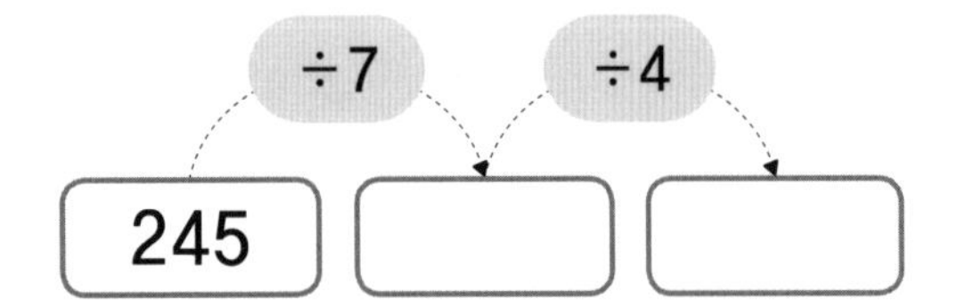


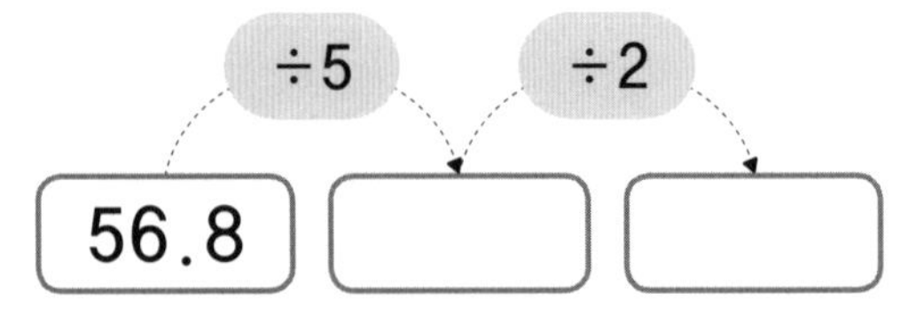


2 □ 안에 알맞은 수를 쓰세요.

$201 \div 3 = 67$

➡ $2.01 \div 3 = \square$

$216 \div 8 = 27$

➡ $\square \div 8 = 2.7$

3 □ 안에 들어갈 수 있는 자연수를 모두 쓰세요.

$35.64 \div 6 > \square$

$13.05 \div 9 < 1.\square 8$

4 수 카드 4장 중 2장을 뽑아 나온 두 수로 몫이 가장 작은 나눗셈식을 만들고 몫을 구하세요.

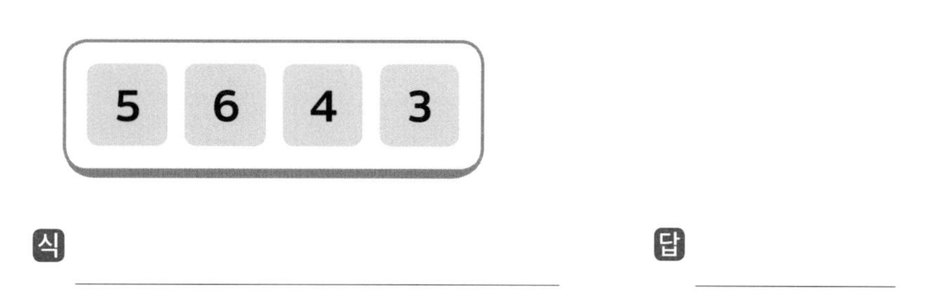


식 ______________________ 답 ______________

5 세로셈으로 나눗셈의 몫을 구하세요.

$3\overline{)128.4}$  $0.7\overline{)20.3}$  $2.3\overline{)16.56}$

6 ○ 안에 >, =, <를 알맞게 넣으세요.

$1.2 \div 0.5$ ○ $1.2 \div 0.24$  $2.24 \div 0.8$ ○ $2.12 \div 0.8$

7 주어진 넓이를 이용하여 직사각형의 가로를 구하세요.

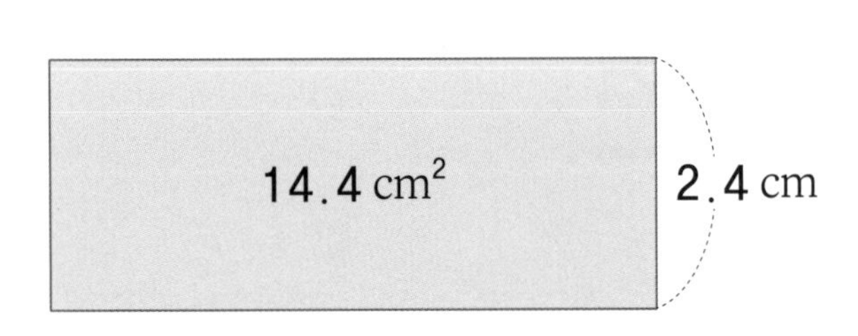


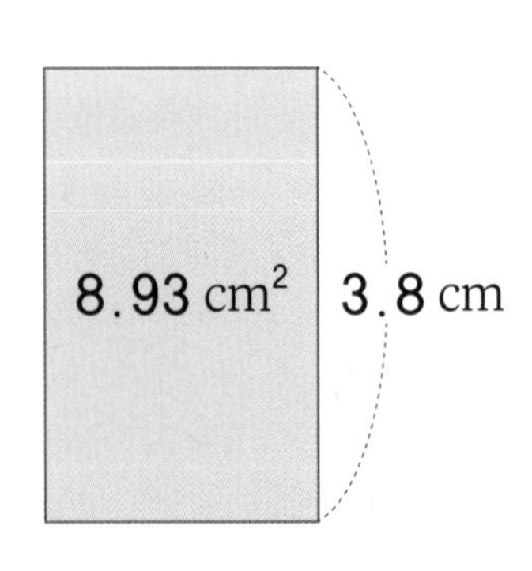


가로: ________ cm

가로: ________ cm

8 다음은 두 가지 맛 아이스크림의 가격입니다.

| 아이스크림 | 양(kg) | 가격(원) |
|---|---|---|
| 딸기맛 | 0.8 | 4912 |
| 바나나맛 | 0.5 | 2935 |

각 아이스크림의 1 kg당 가격을 구하세요.

딸기맛: ________ 원, 바나나맛: ________ 원

어느 맛 아이스크림을 사먹는 것이 더 저렴할까요?

________

9 어떤 수를 2.5로 나누어야 하는데 잘못하여 곱했더니 15가 되었습니다. 바르게 계산하면 얼마일까요?

________

# 어림하기와 소수의 나눗셈

어림하기를 알아보고, 나눗셈의 몫을 어림하여 나타내기

# 수의 범위

이상과 이하, 초과와 미만을 알아보고 수직선에 나타내어 봅시다.

20 이상인 수

20, 21, 23 등과 같이 20보다 크거나 같은 수

10 이하인 수

3 4 5 6 7 8 9 10 11 12 13 14

10, 9.5, 8.4 등과 같이 10보다 작거나 같은 수

15 초과인 수

8 9 10 11 12 13 14 15 16 17 18 19

15.3, 17, 18.1 등과 같이 15보다 큰 수

70 미만인 수

64 65 66 67 68 69 70 71 72 73 74 75

69.5, 68.1, 65.4 등과 같이 70보다 작은 수

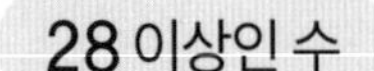


20 21 22 23 24 25 26 27 28 29 30 31 32

31 이하인 수

27 28 29 30 31 32 33 34 35 36 37 38 39

6 초과인 수

1 2 3 4 5 6 7 8 9 10 11 12 13

27 미만인 수

20 21 22 23 24 25 26 27 28 29 30 31 32

48 이상인 수

45 46 47 48 49 50 51 52 53 54 55 56 57

67 이하인 수

61 62 63 64 65 66 67 68 69 70 71 72 73

34 초과인 수 | 32 33 34 (35) (36) (37)

69 이하인 수 | 68 69 70 71 72 73

47 이상인 수 | 40 41 42 43 44 45 46 47 48 49

21 미만인 수 | 16 17 18 19 20 21 22 23 24 25

8 이상 12 이하인 수 | 5 6 7 8 9 10 11 12 13 14

51 초과 55 이하인 수 | 50 51 52 53 54 55 56 57 58 59

89 이상 92 미만인 수 | 85 86 87 88 89 90 91 92 93 94

75 초과 77 이하인 수 | 69 70 71 72 73 74 75 76 77 78

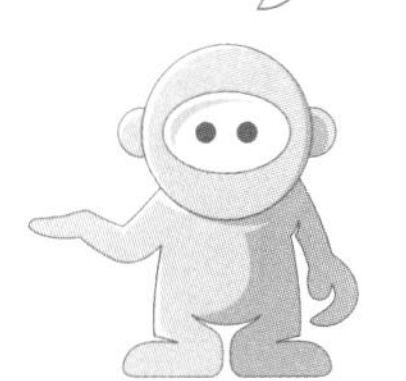

1 주어진 수가 포함된 수의 범위를 찾아 선으로 이으세요.

| | | |
|---|---|---|
| 47 | 50 이상 60 미만인 수 | 40.5 |
| 31 | 40 초과 47 이하인 수 | 35.9 |
| 58 | 36 이상 40 이하인 수 | 36.1 |
| 40 | 30 초과 36 미만인 수 | 59.8 |

2 주어진 범위를 수직선에 나타내어 보세요.

19 초과 24 이하인 수

14 15 16 17 18 19 20 21 22 23 24 25 26

53 이상 57 이하인 수

50 51 52 53 54 55 56 57 58 59 60 61 62

87 초과 95 미만인 수

85 86 87 88 89 90 91 92 93 94 95 96 97

3 주어진 수의 범위에 포함되는 자연수는 모두 몇 개인지 구하세요.

13 이상 18 이하

_______ 개

58 초과 70 이하

_______ 개

4 수 카드 5장 중 2장을 한 번씩 사용하여 두 자리 수를 만들려고 합니다. 만들 수 있는 수 중에서 26이상 54미만인 수는 모두 몇 개인가요?

_______ 개

5 대희네 모둠 학생들의 100 m 달리기 기록을 나타낸 표입니다.

| 이름 | 기록(초) | 이름 | 기록(초) |
|---|---|---|---|
| 대희 | 16.3 | 유리 | 19.1 |
| 소연 | 20.8 | 상호 | 17.9 |
| 동주 | 15.5 | 지희 | 18 |

다음 표를 완성해 보세요.

| 기록(초) | 이름 | 기록(초) | 이름 |
|---|---|---|---|
| 16 미만 | | 18 이상 20 미만 | |
| 16 이상 18 미만 | | 20 이상 | |

18초 미만인 학생을 모둠 대표로 달리기 시합에 출전시키려고 합니다. 대회에 출전할 수 있는 사람은 모두 몇 명인가요?

_______ 명

# 어림하기

자연수와 소수를 주어진 자리까지 올림, 버림, 반올림하여 나타내어 봅시다.

| 올림 | 십의자리 | 백의 자리 |
|---|---|---|
| 264 | 270 | 300 |

4를 10으로 봅니다. 64를 100으로 봅니다.

구하려는 자리 아래 수를 올려서 나타내는 방법을 올림이라고 합니다.

| 버림 | 소수 첫째 자리 | 소수 둘째 자리 |
|---|---|---|
| 3.189 | 3.1 | 3.18 |

0.089를 0으로 봅니다. 0.009를 0으로 봅니다.

구하려는 자리 아래 수를 버려서 나타내는 방법을 버림이라고 합니다.

| 반올림 | 백의 자리 | 천의 자리 |
|---|---|---|
| 8352 | 8400 | 8000 |

52를 100으로 봅니다. 352를 0으로 봅니다.

구하려는 자리 바로 아래 자리의 숫자가 0, 1, 2, 3, 4이면 버리고 5, 6, 7, 8, 9이면 올려서 나타내는 방법을 반올림이라고 합니다.

주어진 자리까지 어림하여 나타낼 때에는 주어진 자리 바로 아래 자리 숫자만 보고 어림합니다.

| 올림 | 십의 자리 | 백의 자리 |
|---|---|---|
| 516 | | |

| 버림 | 십의 자리 | 천의 자리 |
|---|---|---|
| 8954 | | |

| 반올림 | 백의 자리 | 천의 자리 |
|---|---|---|
| 2783 | | |

| 올림 | 자연수 | 소수 첫째 자리 |
|---|---|---|
| 3.25 | | |

| 버림 | 자연수 | 소수 첫째 자리 |
|---|---|---|
| 57.84 | | |

| 반올림 | 소수 첫째 자리 | 소수 둘째 자리 |
|---|---|---|
| 6.451 | | |

올림하여 십의 자리까지
나타내면 **240**이 되는 수

| | |
|---|---|
| 243 | 236 |
| 231 | 229 |

버림하여 자연수까지
나타내면 **52**가 되는 수

| | |
|---|---|
| 51.6 | 51.9 |
| 52.3 | 52.8 |

반올림하여 소수 첫째 자리까지
나타내면 **3.8**이 되는 수

| | |
|---|---|
| 3.825 | 3.744 |
| 3.751 | 3.896 |

반올림하여 백의 자리까지
나타내면 **4700**이 되는 수

| | |
|---|---|
| 4739 | 4637 |
| 4752 | 4683 |

올림하여 천의 자리까지
나타내면 **89000**이 되는 수

| | |
|---|---|
| 88275 | 88701 |
| 89520 | 89295 |

버림하여 소수 첫째 자리까지
나타내면 **83.5**가 되는 수

| | |
|---|---|
| 83.46 | 83.53 |
| 83.61 | 83.59 |

반올림하여 소수 둘째 자리까지
나타내면 **9.08**이 되는 수

| | |
|---|---|
| 9.088 | 9.076 |
| 9.082 | 9.085 |

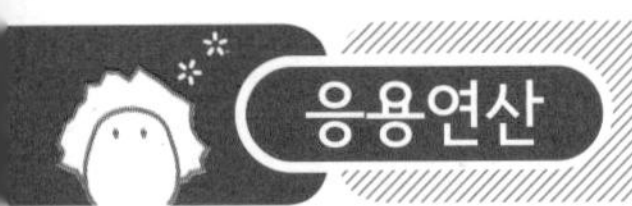


1 주어진 수를 올림, 버림, 반올림하여 주어진 자리까지 나타내세요.

| 수 | 10826 | 73.45 | 2.284 |
|---|---|---|---|
| 자리 | 천의 자리 | 소수 첫째 자리 | 소수 둘째 자리 |
| 올림 | | | |
| 버림 | | | |
| 반올림 | | | |

2 다음 수를 반올림하여 백의 자리까지 나타내면 6200이 됩니다. □ 안에 들어갈 수 있는 수를 모두 쓰세요.

61□8

3 물건의 길이는 몇 cm인지 소수 첫째 자리에서 반올림하여 나타내세요.

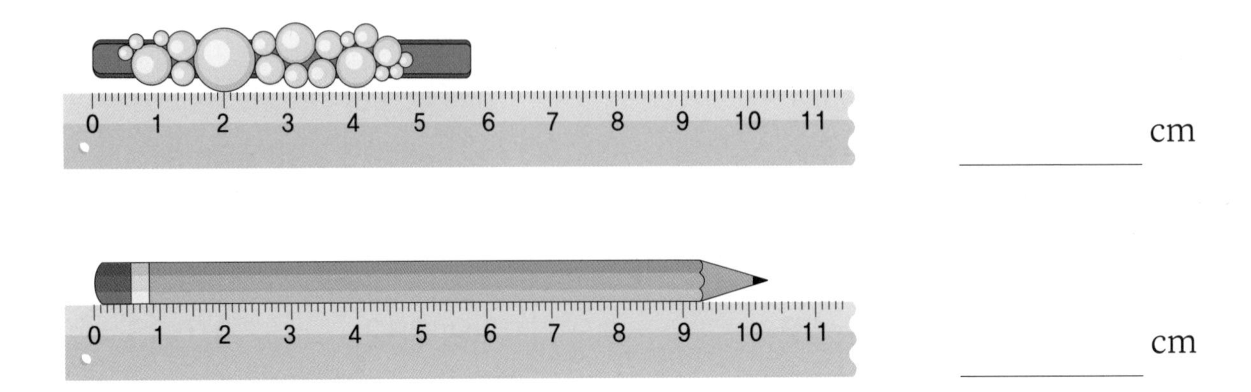


cm

cm

4 수 카드 4장을 한 번씩 사용하여 가장 큰 네 자리 수를 만들고, 만든 네 자리 수를 반올림하여 주어진 자리까지 나타내세요.

5 어떤 수를 반올림하여 십의 자리까지 나타내었더니 130이 되었습니다. 어떤 수가 될 수 있는 수의 범위를 수직선에 나타내세요.

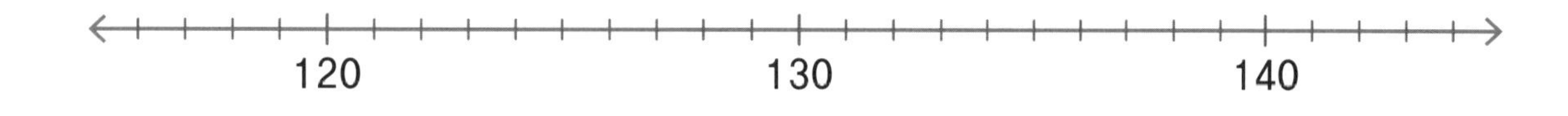


6 7248을 버림하여 천의 자리까지 나타낸 수와 버림하여 십의 자리까지 나타낸 수의 차는 얼마인지 구하세요.

# 몫을 반올림하여 나타내기

나눗셈의 몫을 반올림하여 자연수, 소수 첫째 자리, 소수 둘째 자리까지 각각 나타내어 봅시다.

$$\begin{array}{r} 4.197 \\ 3.4 \overline{)\,14.2700} \\ 136 \\ \hline 67 \\ 34 \\ \hline 330 \\ 306 \\ \hline 240 \\ 238 \\ \hline 2 \end{array}$$

| 자리 | 반올림한 몫 |
|---|---|
| 자연수 | 4 |
| 소수 첫째 자리 | 4.2 |
| 소수 둘째 자리 | 4.20 |

① 몫의 소수 첫째 자리 숫자 1을 반올림하면 자연수의 일의 자리 숫자는 4가 됩니다.
② 몫의 소수 둘째 자리 숫자 9를 반올림하면 소수 첫째 자리 숫자는 2가 됩니다.
③ 몫의 소수 셋째 자리 숫자 7을 반올림하면 소수 둘째 자리 숫자는 0이 됩니다.

$$\begin{array}{r} 32.538 \\ 1.3 \overline{)\,42.3000} \\ 39 \\ \hline 33 \\ 26 \\ \hline 70 \\ 65 \\ \hline 50 \\ 39 \\ \hline 110 \\ 104 \\ \hline 6 \end{array}$$

| 자리 | 반올림한 몫 |
|---|---|
| 자연수 | |
| 소수 첫째 자리 | |
| 소수 둘째 자리 | |

$$\begin{array}{r} 1.8 \\ 1.7 \overline{)3.15} \\ 17 \\ \hline 145 \\ 136 \\ \hline 9 \end{array}$$

자연수

2

$2.3 \overline{)16.4}$

자연수

$4 \overline{)5.7}$

소수 첫째 자리

$5.9 \overline{)27}$

소수 첫째 자리

$0.3 \overline{)1.6}$

소수 둘째 자리

$1.6 \overline{)7.1}$

소수 둘째 자리

1 나눗셈의 몫을 반올림하여 주어진 수까지 나타내어 보세요.

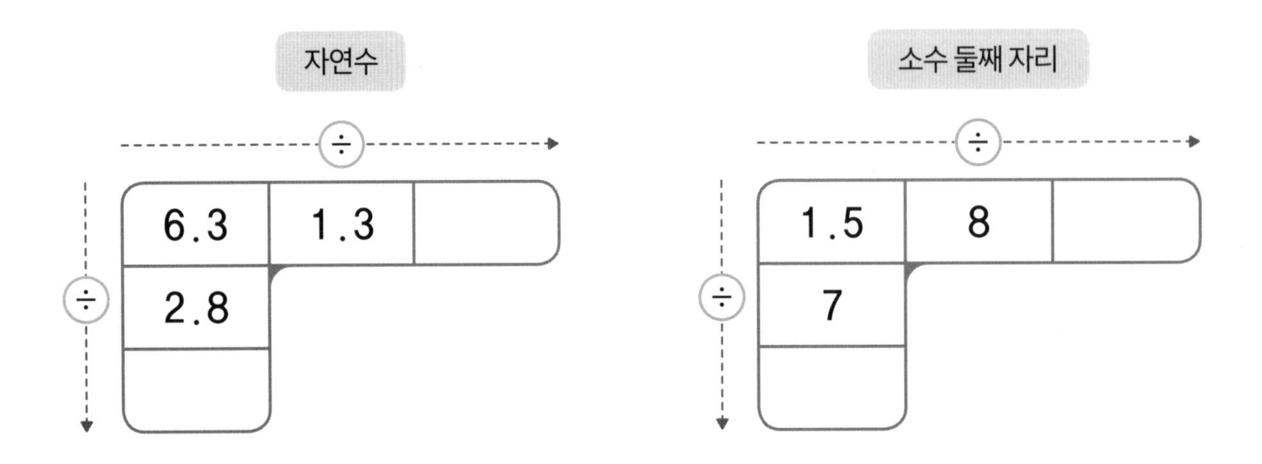


2 ◯ 안에 >, =, <를 알맞게 넣으세요.

1.6÷0.3 ◯ 1.6÷0.3의 몫을 반올림하여 소수 둘째 자리까지 나타낸 수

3 4.93÷4.2의 몫을 반올림하여 주어진 자리까지 나타낼 때 주어진 자리의 숫자를 찾아 선으로 이으세요.

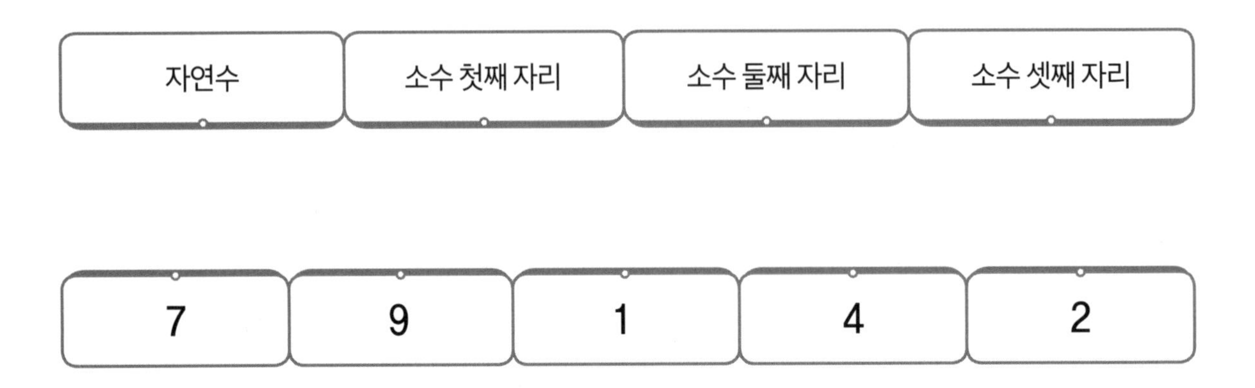

4 수 카드 4장을 한 번씩 사용하여 다음 나눗셈식을 만들려고 합니다. 몫이 가장 큰 나눗셈식을 만들고 몫을 반올림하여 소수 둘째 자리까지 나타내세요.

3 4 7 8

식 □□.□÷□ 답 ______

5 굵기가 일정한 통나무 60 cm의 무게를 달아보니 8.2 kg이었습니다. 이 통나무 1 m의 무게는 몇 kg인지 반올림하여 소수 첫째 자리까지 나타내세요.

______ kg

6 자동차가 1시간 30분 동안 고속도로를 143 km 달렸습니다.

1시간 30분은 몇 시간인지 시간 단위로 나타내세요.

______ 시간

이 자동차는 한 시간에 약 몇 km를 달렸는지 반올림하여 자연수까지 구하세요.

식 ______ 답 ______ km

# 몫의 소수 10째 자리 숫자

개념 원리

나눗셈의 몫을 보고 몫의 소수 10째 자리 숫자를 알아봅시다.

4÷37=0.1081081 ……

몫의 소수점 아래에서 1, 0, 8 이 반복되는 규칙입니다.

10÷ 3 = 3 … 1 이므로 소수 9째 자리 숫자는 8 이고,

소수 10째 자리 숫자는 1 입니다.

52÷6=8.6666 ……

몫의 소수점 아래에서 ______ 이 반복되는 규칙입니다.

따라서 소수 10째 자리 숫자는 ☐ 입니다.

9.1÷1.1=8.272727 ……

몫의 소수점 아래에서 ______ 이 반복되는 규칙입니다.

몫의 소수점 아래 홀수 자리 숫자는 ☐ 이고, 짝수 자리 숫자는 ☐ 이므로

소수 10째 자리 숫자는 ☐ 입니다.

14÷111=0.1261261 ……

몫의 소수점 아래에서 ______ 이 반복되는 규칙입니다.

10÷ ☐ = ☐ … ☐ 이므로 소수 9째 자리 숫자는 ☐ 이고,

소수 10째 자리 숫자는 ☐ 입니다.

$8 \div 6$

$6 \overline{)8}$

소수 10째 자리 숫자

$3.5 \div 9$

$9 \overline{)3.5}$

소수 10째 자리 숫자

$12 \div 11$

$11 \overline{)12}$

소수 10째 자리 숫자

$2.3 \div 3.7$

$3.7 \overline{)2.3}$

소수 10째 자리 숫자

$4 \div 27$

$27 \overline{)4}$

소수 10째 자리 숫자

$5 \div 7$

$7 \overline{)5}$

소수 10째 자리 숫자

1 나눗셈의 몫의 소수점 아래에서 반복되는 숫자의 개수를 쓰세요.

$49.5 \div 1.85$ = 26.756756……

3 개

3개의 숫자 7, 5, 6이 반복됩니다.

$0.4 \div 0.09$ ______ 개

$4.6 \div 2.2$ ______ 개

2 나눗셈의 몫의 10째 자리 숫자가 가장 작은 것에 ◯표 하고, 작은 것부터 선으로 차례로 이으세요.

$4 \div 6$

$4 \div 9$　　$10 \div 9$

$7 \div 3$　　$8 \div 9$

3 나눗셈의 몫의 각 자리 숫자 중에서 나머지와 다른 하나에 ◯표 하세요.

$5.8 \div 1.2$

| 소수 1째 자리 숫자 | 소수 4째 자리 숫자 |
|---|---|
| 소수 6째 자리 숫자 | 소수 10째 자리 숫자 |

$4 \div 11$

| 소수 2째 자리 숫자 | 소수 4째 자리 숫자 |
|---|---|
| 소수 5째 자리 숫자 | 소수 8째 자리 숫자 |

4 세 사람 중 나눗셈의 몫에 대해 잘못 설명한 사람은 누구일까요?

$8 \div 7$

민호: 몫의 소수점 아래에서 6개의 숫자가 반복되지.
세희: 몫의 소수 8째 자리에서 반올림하여 나타내면 몫의 소수 7째 자리 숫자는 1이야.
승주: 몫의 소수 15째 자리 숫자는 1이야.

5 나눗셈의 몫을 소수 10째 자리까지 나타내었을 때 나타낸 몫의 각 자리 숫자의 합을 구하세요.

$19 \div 27$

6 큰 나무의 높이는 8.3 m이고 작은 나무의 높이는 3 m입니다. 큰 나무의 높이는 작은 나무의 높이의 약 몇 배인지 반올림하여 소수 6째 자리까지 구하세요.

배

# 형성평가

1 주어진 범위를 수직선에 나타내어 보세요.

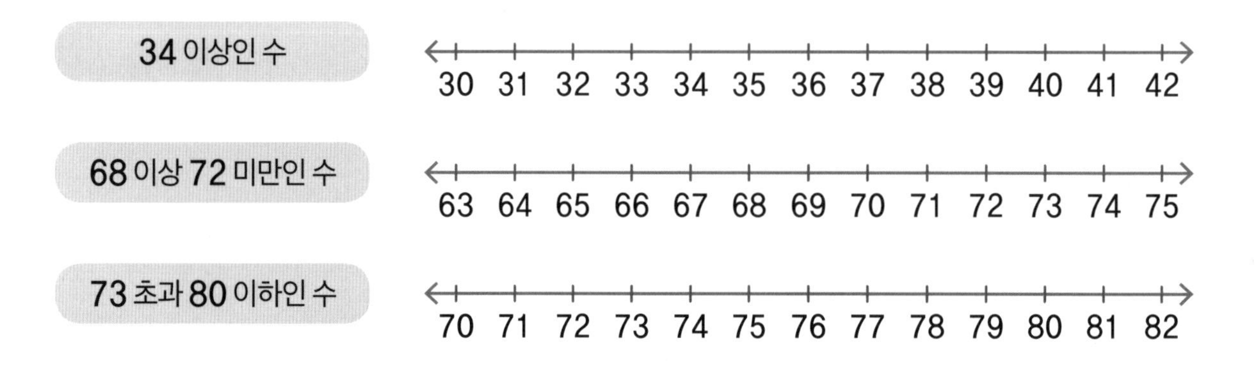


2 주어진 수의 범위에 포함되는 자연수는 모두 몇 개인지 구하세요.

_______ 개 _______ 개

3 물건의 길이는 몇 cm인지 소수 첫째 자리에서 반올림하여 나타내세요.

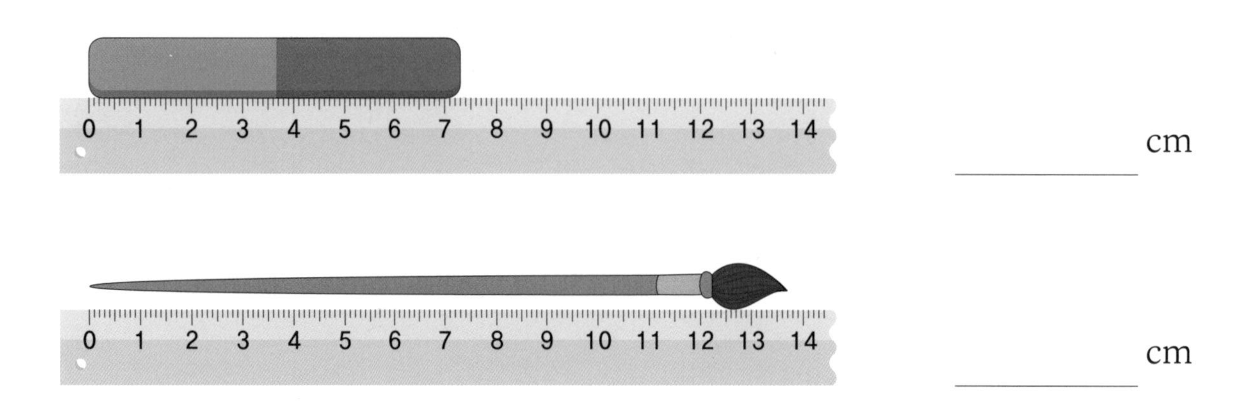


_______ cm

_______ cm

4 나눗셈의 몫을 반올림하여 소수 둘째 자리까지 나타내세요.

$3\overline{)25}$ ______

$0.9\overline{)3.41}$ ______

5 ○ 안에 >, =, <를 알맞게 넣으세요.

$16.37 \div 5.3$ ○ $0.92 \div 0.3$의 몫을 반올림하여 소수 첫째 자리까지 나타낸 수

$8.2 \div 3$ ○ $4.64 \div 1.7$의 몫을 반올림하여 소수 둘째 자리까지 나타낸 수

6 자동차가 2시간 12분 동안 고속도로를 200 km 달렸습니다.

2시간 12분은 몇 시간인지 시간 단위로 나타내세요.

______ 시간

이 자동차는 한 시간에 약 몇 km를 달렸는지 반올림하여 자연수까지 구하세요.

식 ______ 답 ______ km

7 수 카드 4장을 한 번씩 사용하여 다음 나눗셈식을 만들려고 합니다. 몫이 가장 큰 나눗셈식을 만들고 몫을 반올림하여 소수 둘째 자리까지 나타내세요.

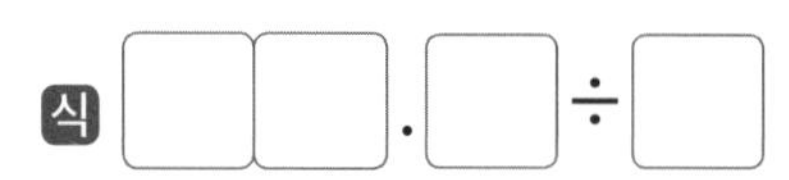

8 나눗셈의 몫을 소수 10째 자리까지 나타내었을 때 나타낸 몫의 각 자리 숫자의 합을 구하세요.

$10.7 \div 6$

9 가방의 무게는 3 kg이고 물통의 무게는 2.2 kg입니다. 가방의 무게는 물통의 무게의 약 몇 배인지 반올림하여 소수 7째 자리까지 구하세요.

배

상위권으로 가는 문제 해결 연산 학습지

E3
초5~초6
분수의 나눗셈

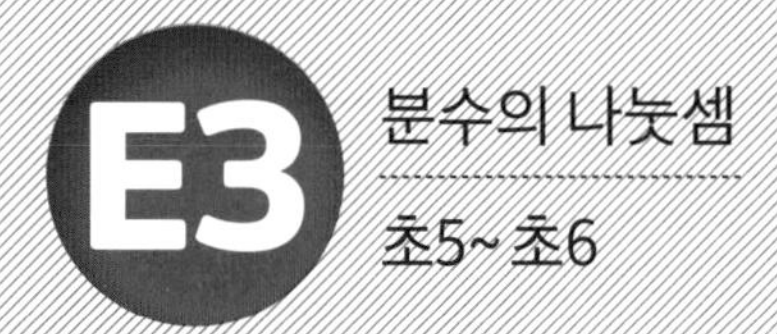


# 정답 및 길잡이

# 분수와 자연수의 나눗셈

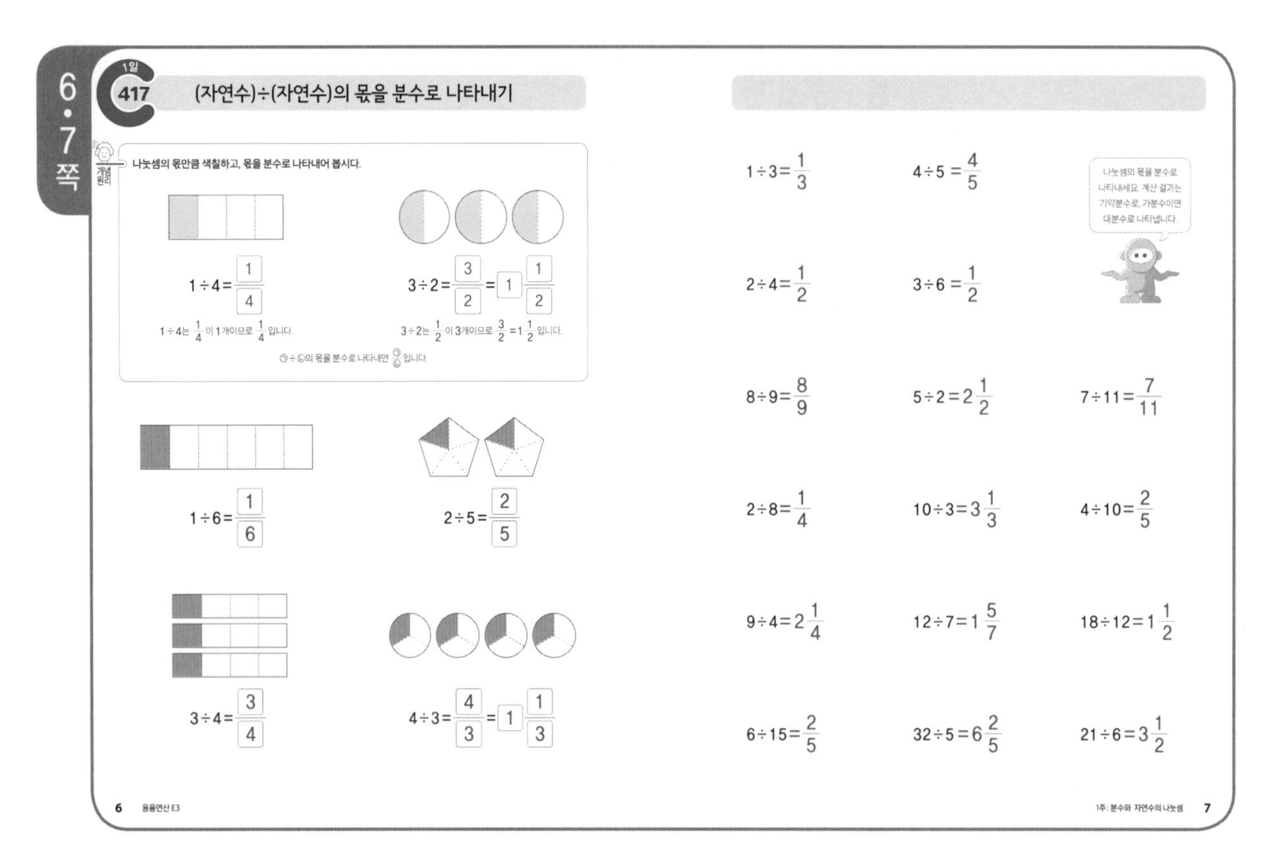

6·7쪽

1일 417 (자연수)÷(자연수)의 몫을 분수로 나타내기

개념원리 나눗셈의 몫만큼 색칠하고, 몫을 분수로 나타내어 봅시다.

$1 \div 4 = \frac{1}{4}$

$1 \div 4$는 $\frac{1}{4}$이 1개이므로 $\frac{1}{4}$입니다.

$3 \div 2 = \frac{3}{2} = 1\frac{1}{2}$

$3 \div 2$는 $\frac{1}{2}$이 3개이므로 $\frac{3}{2} = 1\frac{1}{2}$입니다.

㉠÷㉡의 몫을 분수로 나타내면 $\frac{㉠}{㉡}$입니다.

$1 \div 6 = \frac{1}{6}$ $\qquad 2 \div 5 = \frac{2}{5}$

$3 \div 4 = \frac{3}{4}$ $\qquad 4 \div 3 = \frac{4}{3} = 1\frac{1}{3}$

$1 \div 3 = \frac{1}{3}$ $\qquad 4 \div 5 = \frac{4}{5}$

$2 \div 4 = \frac{1}{2}$ $\qquad 3 \div 6 = \frac{1}{2}$

$8 \div 9 = \frac{8}{9}$ $\qquad 5 \div 2 = 2\frac{1}{2}$ $\qquad 7 \div 11 = \frac{7}{11}$

$2 \div 8 = \frac{1}{4}$ $\qquad 10 \div 3 = 3\frac{1}{3}$ $\qquad 4 \div 10 = \frac{2}{5}$

$9 \div 4 = 2\frac{1}{4}$ $\qquad 12 \div 7 = 1\frac{5}{7}$ $\qquad 18 \div 12 = 1\frac{1}{2}$

$6 \div 15 = \frac{2}{5}$ $\qquad 32 \div 5 = 6\frac{2}{5}$ $\qquad 21 \div 6 = 3\frac{1}{2}$

나눗셈의 몫을 분수로 나타내세요. 계산 결과는 기약분수로, 가분수이면 대분수로 나타냅니다.

6 응용연산 E3    1주: 분수와 자연수의 나눗셈 7

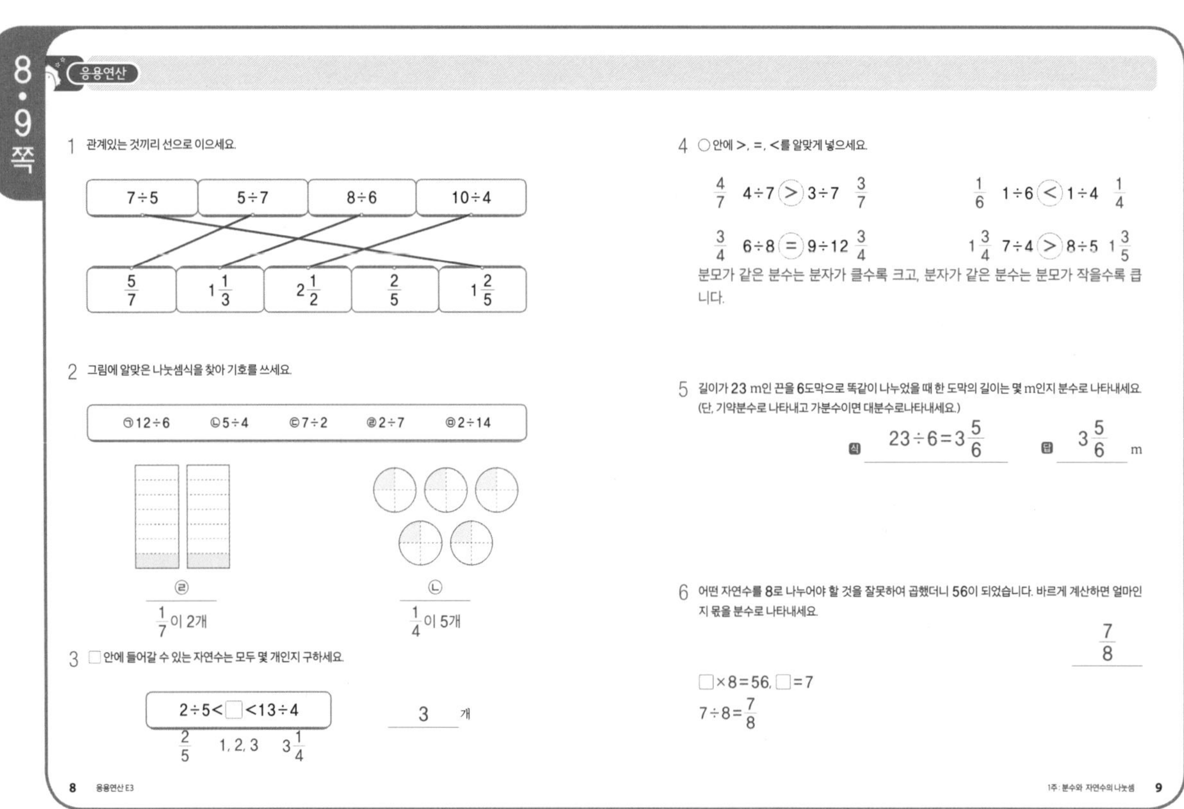

8·9쪽

응용연산

1 관계있는 것끼리 선으로 이으세요.

$7 \div 5$ — $1\frac{2}{5}$, $5 \div 7$ — $\frac{5}{7}$, $8 \div 6$ — $1\frac{1}{3}$, $10 \div 4$ — $2\frac{1}{2}$

2 그림에 알맞은 나눗셈식을 찾아 기호를 쓰세요.

㉠ $12 \div 6$   ㉡ $5 \div 4$   ㉢ $7 \div 2$   ㉣ $2 \div 7$   ㉤ $2 \div 14$

㉣   $\frac{1}{7}$이 2개

㉡   $\frac{1}{4}$이 5개

3 □ 안에 들어갈 수 있는 자연수는 모두 몇 개인지 구하세요.

$2 \div 5 < \square < 13 \div 4$    3 개

$\frac{2}{5}$   1, 2, 3   $3\frac{1}{4}$

4 ○ 안에 >, =, <를 알맞게 넣으세요.

$\frac{4}{7}$ $4 \div 7$ (>) $3 \div 7$ $\frac{3}{7}$    $\frac{1}{6}$ $1 \div 6$ (<) $1 \div 4$ $\frac{1}{4}$

$\frac{3}{4}$ $6 \div 8$ (=) $9 \div 12$ $\frac{3}{4}$    $1\frac{3}{4}$ $7 \div 4$ (>) $8 \div 5$ $1\frac{3}{5}$

분모가 같은 분수는 분자가 클수록 크고, 분자가 같은 분수는 분모가 작을수록 큽니다.

5 길이가 23 m인 끈을 6도막으로 똑같이 나누었을 때 한 도막의 길이는 몇 m인지 분수로 나타내세요. (단, 기약분수로 나타내고 가분수이면 대분수로 나타내세요.)

식 $23 \div 6 = 3\frac{5}{6}$    답 $3\frac{5}{6}$ m

6 어떤 자연수를 8로 나누어야 할 것을 잘못하여 곱했더니 56이 되었습니다. 바르게 계산하면 얼마인지 몫을 분수로 나타내세요.

$\frac{7}{8}$

$\square \times 8 = 56$, $\square = 7$

$7 \div 8 = \frac{7}{8}$

8 응용연산 E3    1주: 분수와 자연수의 나눗셈 9

## 10·11쪽

418 (진분수)÷(자연수), (가분수)÷(자연수)

개념원리 분수를 자연수로 나눈 몫만큼 색칠하고, 분수로 나타내어 봅시다.

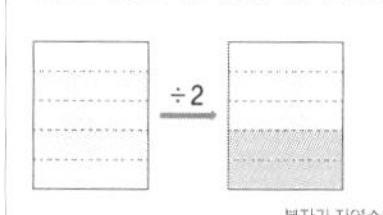

$\frac{4}{5}\div2=\frac{4\div2}{5}=\frac{2}{5}$

분자가 자연수의 배수일 때는 분자를 자연수로 나눕니다.

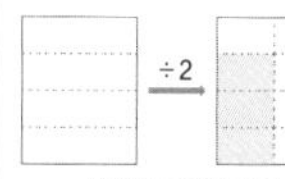

$\frac{3}{4}\div2=\frac{3\times2}{4\times2}\div2=\frac{6\div2}{8}=\frac{3}{8}$

분자가 자연수의 배수가 아닐 때는 크기가 같은 분수 중에서 분자가 자연수의 배수인 수로 바꾸어 계산합니다.

$\frac{6}{7}\div3=\frac{6\div3}{7}=\frac{2}{7}$

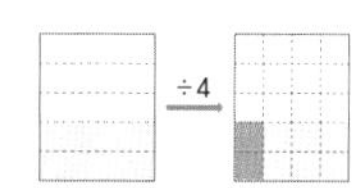

$\frac{5}{6}\div2=\frac{5\times2}{6\times2}\div2=\frac{10\div2}{12}=\frac{5}{12}$

$\frac{2}{5}\div4=\frac{2\times2}{5\times2}\div4=\frac{4\div4}{10}=\frac{1}{10}$

$\frac{8}{9}\div8=\frac{8\div8}{9}=\frac{1}{9}$　$\frac{12}{7}\div4=\frac{12\div4}{7}=\frac{3}{7}$

$\frac{2}{7}\div3=\frac{6}{21}\div3=\frac{6\div3}{21}=\frac{2}{21}$　$\frac{14}{15}\div7=\frac{14\div7}{15}=\frac{2}{15}$

$\frac{9}{4}\div6=\frac{18}{8}\div6=\frac{18\div6}{8}=\frac{3}{8}$

$\frac{3}{5}\div3=\frac{1}{5}$　$\frac{10}{7}\div2=\frac{5}{7}$　$\frac{4}{9}\div8=\frac{1}{18}$

$\frac{5}{6}\div6=\frac{5}{36}$　$\frac{7}{12}\div14=\frac{1}{24}$　$\frac{20}{11}\div5=\frac{4}{11}$

$\frac{3}{7}\div12=\frac{1}{28}$　$\frac{21}{13}\div3=\frac{7}{13}$　$\frac{16}{21}\div10=\frac{8}{105}$




## 12·13쪽

응용연산

1 빈칸에 알맞은 수를 쓰세요.

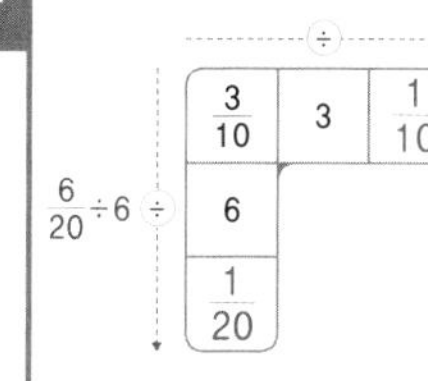

$\frac{3}{10}$, 3, $\frac{1}{10}$ / 6, $\frac{1}{20}$ / $\frac{6}{20}\div6$

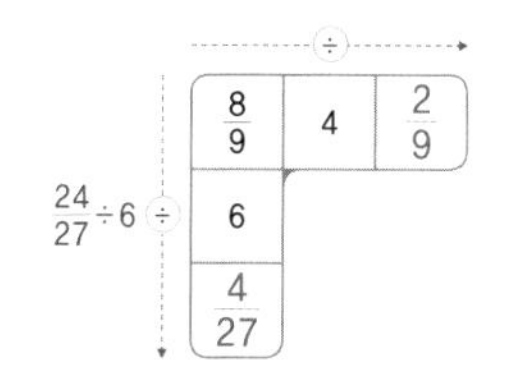

$\frac{8}{9}$, 4, $\frac{2}{9}$ / 6, $\frac{4}{27}$ / $\frac{24}{27}\div6$

2 나눗셈의 몫이 다른 하나에 ○표 하세요.

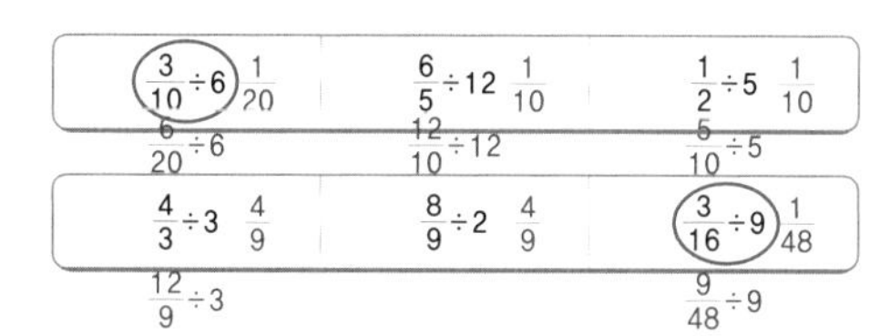

(○) $\frac{3}{10}\div6$ → $\frac{1}{20}$ ($\frac{6}{20}\div6$)　$\frac{6}{5}\div12$ → $\frac{1}{10}$ ($\frac{12}{10}\div12$)　$\frac{1}{2}\div5$ → $\frac{1}{10}$ ($\frac{5}{10}\div5$)

$\frac{4}{3}\div3$ → $\frac{4}{9}$ ($\frac{12}{9}\div3$)　$\frac{8}{9}\div2$ → $\frac{4}{9}$　(○) $\frac{3}{16}\div9$ → $\frac{1}{48}$ ($\frac{9}{48}\div9$)

3 가장 작은 수를 가장 큰 수로 나눈 몫을 분수로 나타내세요.

| $\frac{5}{3}$ | 3 | $\frac{6}{7}$ | $\frac{9}{11}$ | 2 |
|---|---|---|---|---|

$\frac{3}{11}$

$\frac{9}{11}\div3=\frac{3}{11}$

4 다음 중 나눗셈의 몫이 가장 큰 수에 ○표, 가장 작은 수에 △표 하세요.

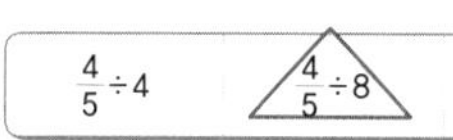
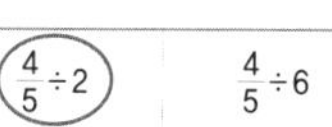

$\frac{4}{5}\div4$　(△) $\frac{4}{5}\div8$　(○) $\frac{4}{5}\div2$　$\frac{4}{5}\div6$

나누어지는 수가 같을 때 나누는 수가 작을수록 몫이 큽니다.

5 철사 $\frac{12}{13}$ m를 모두 사용하여 정사각형 1개를 만들었습니다. 이 정사각형의 한 변의 길이는 몇 m인가요?

식 $\frac{12}{13}\div4=\frac{3}{13}$　답 $\frac{3}{13}$ m

6 어떤 분수에 6을 곱하면 $\frac{4}{7}$가 됩니다. 어떤 분수는 얼마인가요?

$\frac{2}{21}$

$\square\times6=\frac{4}{7}$

$\square=\frac{4}{7}\div6=\frac{12}{21}\div6=\frac{2}{21}$

14·15쪽

3일 419 **(분수)÷(자연수)를 분수의 곱셈으로 구하기**

개념원리 분수를 자연수로 나눈 몫만큼 색칠하고, 나눗셈을 곱셈으로 바꾸어 계산해 봅시다.

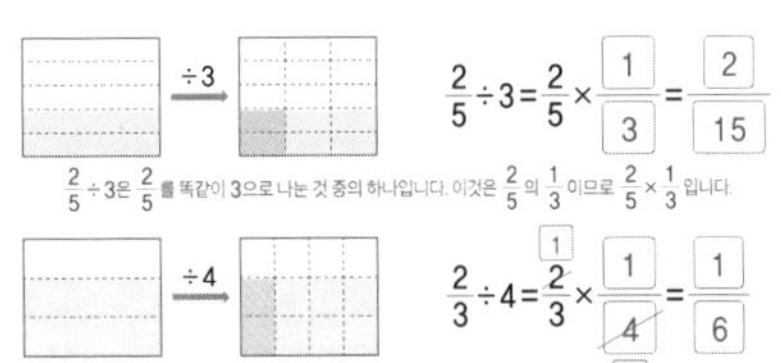

$\frac{2}{5}\div 3=\frac{2}{5}\times\frac{1}{3}=\frac{2}{15}$

$\frac{2}{5}\div 3$은 $\frac{2}{5}$를 똑같이 3으로 나눈 것 중의 하나입니다. 이것은 $\frac{2}{5}$의 $\frac{1}{3}$이므로 $\frac{2}{5}\times\frac{1}{3}$입니다.

$\frac{2}{3}\div 4=\frac{\overset{1}{\cancel{2}}}{3}\times\frac{1}{\underset{2}{\cancel{4}}}=\frac{1}{6}$

$\frac{2}{3}\div 4$는 $\frac{2}{3}$를 똑같이 4로 나눈 것 중의 하나입니다. 이것은 $\frac{2}{3}$의 $\frac{1}{4}$이므로 $\frac{2}{3}\times\frac{1}{4}$입니다.

$\frac{㉡}{㉠}\div㉢$을 분수의 곱셈으로 나타내면 $\frac{㉡}{㉠}\times\frac{1}{㉢}$입니다.

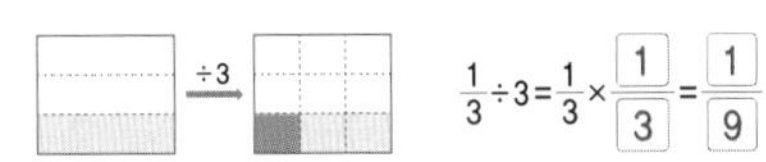

$\frac{1}{3}\div 3=\frac{1}{3}\times\frac{1}{3}=\frac{1}{9}$

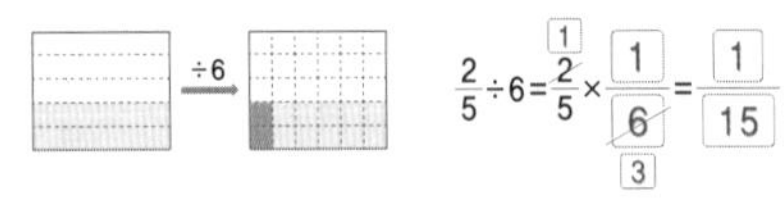

$\frac{2}{5}\div 6=\frac{\overset{1}{\cancel{2}}}{5}\times\frac{1}{\underset{3}{\cancel{6}}}=\frac{1}{15}$

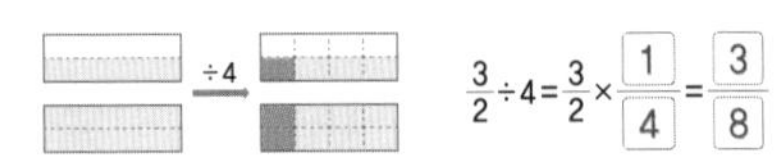

$\frac{3}{2}\div 4=\frac{3}{2}\times\frac{1}{4}=\frac{3}{8}$

분수의 나눗셈을 분수의 곱셈으로 나타내어 계산해 보세요. 계산 과정에서 약분이 되면 약분을 먼저 하고 계산하세요.

$\frac{5}{8}\div 4=\frac{5}{8}\times\frac{1}{4}=\frac{5}{32}$

$\frac{4}{5}\div 6=\frac{\overset{2}{\cancel{4}}}{5}\times\frac{1}{\underset{3}{\cancel{6}}}=\frac{2}{15}$

$\frac{12}{13}\div 3=\frac{\overset{4}{\cancel{12}}}{13}\times\frac{1}{\underset{1}{\cancel{3}}}=\frac{4}{13}$　　$\frac{9}{4}\div 15=\frac{\overset{3}{\cancel{9}}}{4}\times\frac{1}{\underset{5}{\cancel{15}}}=\frac{3}{20}$

$\frac{5}{6}\div 4=\frac{5}{24}$　　$\frac{6}{5}\div 3=\frac{2}{5}$　　$\frac{2}{9}\div 8=\frac{1}{36}$

$\frac{12}{7}\div 8=\frac{3}{14}$　　$\frac{15}{19}\div 3=\frac{5}{19}$　　$\frac{11}{6}\div 7=\frac{11}{42}$

$\frac{9}{10}\div 12=\frac{3}{40}$　　$\frac{45}{34}\div 9=\frac{5}{34}$　　$\frac{24}{17}\div 20=\frac{6}{85}$




16·17쪽

응용연산

1 나눗셈의 몫의 크기를 비교하여 ○ 안에 >, =, <를 알맞게 넣으세요.

$\frac{3}{7}$ $\frac{6}{7}\div 2$ (>) $\frac{3}{5}\div 2$ $\frac{3}{10}$　　$\frac{4}{15}$ $\frac{4}{5}\div 3$ (>) $\frac{2}{3}\div 5$ $\frac{2}{15}$

$\frac{3}{8}$ $\frac{3}{4}\div 2$ (=) $\frac{9}{8}\div 3$ $\frac{3}{8}$　　$\frac{5}{9}(=\frac{20}{36})$ $\frac{30}{9}\div 6$ (<) $\frac{7}{3}\div 4$ $\frac{7}{12}(=\frac{21}{36})$

2 빈칸에 알맞은 수를 쓰세요.

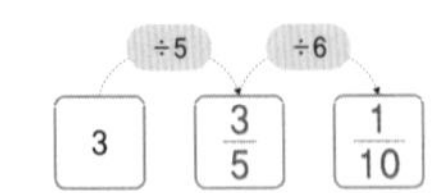

3 →(÷5)→ $\frac{3}{5}$ →(÷6)→ $\frac{1}{10}$

4 →(÷9)→ $\frac{4}{9}$ →(÷10)→ $\frac{2}{45}$

3 □ 안에 알맞은 수를 쓰세요.

$\frac{5}{8}\times 2=\frac{5}{4}$　　$\frac{5}{4}\div 2=\frac{5}{8}$

$\frac{3}{26}\times 6=\frac{9}{13}$　　$\frac{9}{13}\div 6=\frac{3}{26}$

4 다음과 같이 2가지 방법으로 계산해 보세요.

방법1 크기가 같은 분수 중에서 분자가 자연수의 배수인 수로 바꾸어 계산합니다.

$\frac{2}{7}\div 3=\frac{2\times 3}{7\times 3}\div 3=\frac{6\div 3}{21}=\frac{2}{21}$

방법2 나눗셈을 곱셈으로 고쳐서 계산합니다.

$\frac{2}{7}\div 3=\frac{2}{7}\times\frac{1}{3}=\frac{2}{21}$

방법1 $\frac{5}{8}\div 2=\frac{5\times 2}{8\times 2}\div 2=\frac{10\div 2}{16}=\frac{5}{16}$

방법2 $\frac{5}{8}\div 2=\frac{5}{8}\times\frac{1}{2}=\frac{5}{16}$

5 수 카드 3장을 모두 사용하여 몫이 가장 크게 되는 (진분수)÷(자연수)의 식을 만들고 계산하세요.

2 6 5

식 $\frac{5}{6}\div 2=\frac{5}{12}$　　답 $\frac{5}{12}$

나누어지는 수가 클수록, 나누는 수는 작을수록 몫이 큽니다.

6 밀가루 반죽 $\frac{4}{5}$ kg을 똑같이 10덩이로 나누어 빵을 만들려고 합니다. 한 덩이는 몇 kg인가요?

식 $\frac{4}{5}\div 10=\frac{2}{25}$　　답 $\frac{2}{25}$ kg

## 18·19쪽

4일 420

# (대분수)÷(자연수)

개념원리 대분수와 자연수의 나눗셈을 알아봅시다.

[방법 1] $2\frac{4}{7}\div3=\frac{18}{7}\div3=\frac{18\div3}{7}=\frac{6}{7}$

대분수를 가분수로 고친 후 분자가 자연수의 배수이므로 분자를 자연수로 나누어 계산합니다.

[방법 2] $2\frac{4}{7}\div3=\frac{18}{7}\div3=\frac{\overset{6}{\cancel{18}}}{7}\times\frac{1}{\underset{1}{\cancel{3}}}=\frac{6}{7}$

대분수를 가분수로 고친 후 분수의 곱셈으로 나타내어 계산합니다. 계산 과정에서 약분이 되면 약분을 먼저 합니다.

[방법 1] $3\frac{3}{4}\div5=\frac{15}{4}\div5=\frac{15\div5}{4}=\frac{3}{4}$

[방법 2] $3\frac{3}{4}\div5=\frac{15}{4}\div5=\frac{\overset{3}{\cancel{15}}}{4}\times\frac{1}{\underset{1}{\cancel{5}}}=\frac{3}{4}$

$4\frac{2}{3}\div2=\frac{14}{3}\div2=\frac{14\div2}{3}=\frac{7}{3}=2\frac{1}{3}$

$3\frac{1}{5}\div6=\frac{16}{5}\div6=\frac{\overset{8}{\cancel{16}}}{5}\times\frac{1}{\underset{3}{\cancel{6}}}=\frac{8}{15}$

$1\frac{1}{8}\div3=\frac{3}{8}$ $2\frac{3}{5}\div4=\frac{13}{20}$

$7\frac{1}{2}\div9=\frac{5}{6}$ $3\frac{1}{4}\div2=1\frac{5}{8}$

$6\frac{2}{5}\div8=\frac{4}{5}$ $4\frac{1}{2}\div7=\frac{9}{14}$

$3\frac{4}{7}\div5=\frac{5}{7}$ $8\frac{2}{3}\div6=1\frac{4}{9}$

$6\frac{1}{4}\div3=2\frac{1}{12}$ $2\frac{5}{8}\div9=\frac{7}{24}$

$5\frac{5}{6}\div7=\frac{5}{6}$ $3\frac{3}{5}\div12=\frac{3}{10}$





## 20·21쪽

응용연산

1 잘못 계산한 곳을 찾아 바르게 계산하세요.

$2\frac{4}{7}\div4=2\frac{4\div4}{7}=2\frac{1}{7}$

$2\frac{4}{7}\div4=\frac{18}{7}\div4=\frac{\overset{9}{\cancel{18}}}{7}\times\frac{1}{\underset{2}{\cancel{4}}}=\frac{9}{14}$

2 나눗셈의 몫이 1보다 큰 것을 모두 골라 ○표 하세요.

$1\frac{1}{4}\div5$ $\quad$ ($7\frac{3}{7}\div7$) $\quad$ $2\frac{2}{3}\div4$ $\quad$ $5\frac{3}{5}\div6$ $\quad$ ($3\frac{3}{4}\div3$)

나누어지는 수가 나누는 수보다 크면 몫이 1보다 큽니다.

3 1보다 큰 자연수 중에서 □ 안에 들어갈 수 있는 수를 모두 쓰세요.

$\frac{\square}{5}<4\frac{4}{5}\div6$ $\quad\frac{4}{5}$

2, 3

$\frac{7}{\square}>2\frac{1}{3}\div2$ $\quad\frac{7}{6}$

2, 3, 4, 5

4 수 카드 4장을 모두 사용하여 몫이 가장 작게 되는 나눗셈식을 만들고 계산하세요.

식 $2\frac{4}{5}\div6=\frac{7}{15}$ 답 $\frac{7}{15}$

나누어지는 수가 작을수록, 나누는 수는 클수록 몫이 작습니다.

5 직사각형의 넓이가 $10\frac{4}{5}$ $m^2$이고 세로가 8 m일 때 가로를 구하세요.

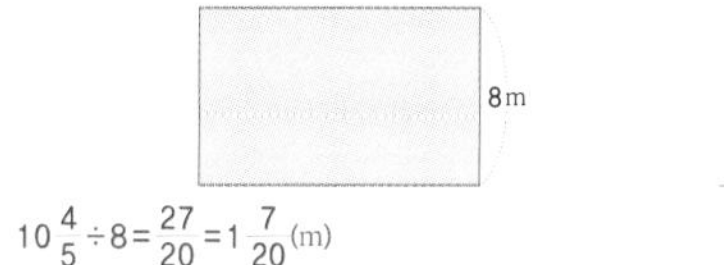


$1\frac{7}{20}$ m

$10\frac{4}{5}\div8=\frac{27}{20}=1\frac{7}{20}$(m)

6 페인트 3통으로 벽면 $12\frac{3}{7}$ $m^2$를 칠했습니다. 페인트 한 통으로 칠한 벽면의 넓이는 몇 $m^2$인지 구하세요.

식 $12\frac{3}{7}\div3=4\frac{1}{7}$ 답 $4\frac{1}{7}$ $m^2$

22·23쪽

## 형성평가

1 나눗셈의 몫만큼 색칠하고, 몫을 분수로 나타내세요.

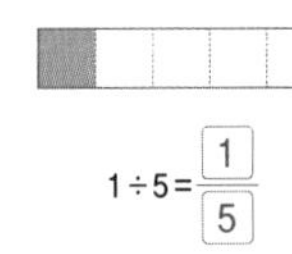

$1 \div 5 = \frac{1}{5}$

$3 \div 4 = \frac{3}{4}$

2 관계있는 것끼리 선으로 이으세요.

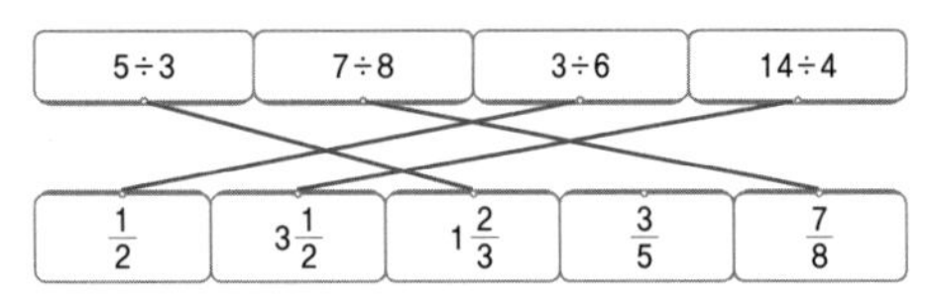


3 빈칸에 알맞은 수를 쓰세요.

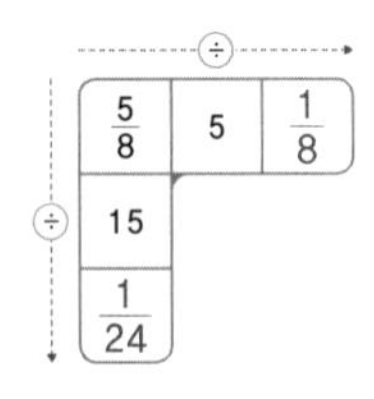


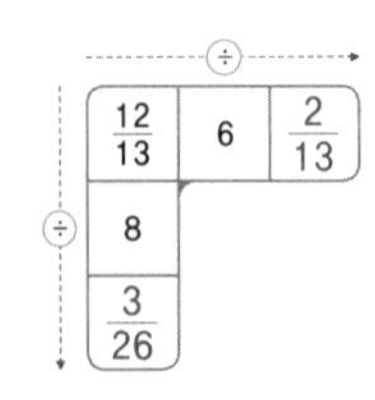


4 철사 $\frac{6}{7}$ m를 모두 사용하여 정삼각형 1개를 만들었습니다. 이 정삼각형의 한 변의 길이는 몇 m인가요?

식 $\frac{6}{7} \div 3 = \frac{2}{7}$ 　답 $\frac{2}{7}$ m

5 나눗셈의 몫이 다른 하나에 ○표 하세요.

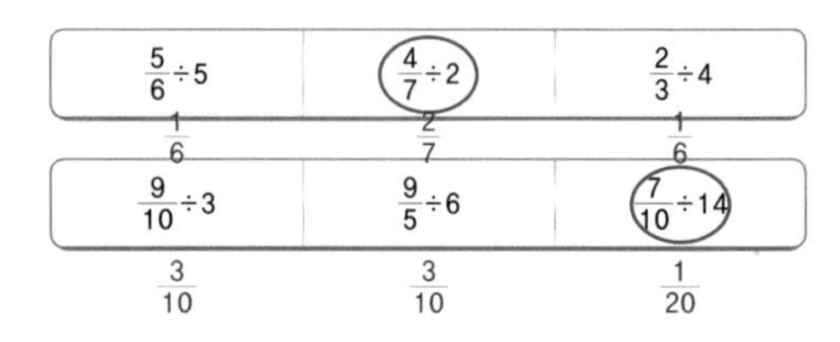

5/6÷5
4/7÷2
2/3÷4
1/6
2/7
1/6
9/10÷3
9/5÷6
7/10÷14
3/10
3/10
1/20


6 빈칸에 알맞은 수를 쓰세요.

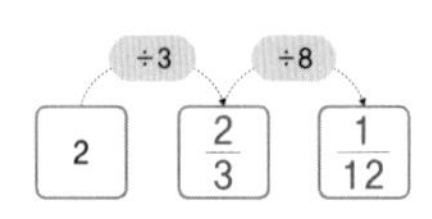


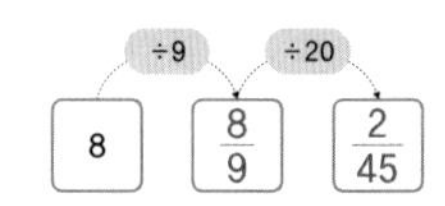






24쪽

7 □ 안에 알맞은 수를 쓰세요.

$\boxed{\frac{2}{15}} \times 3 = \frac{2}{5}$

$\frac{2}{5} \div 3 = \frac{2}{15}$

$\boxed{\frac{1}{14}} \times 8 = \frac{4}{7}$

$\frac{4}{7} \div 8 = \frac{1}{14}$

8 수 카드 4장을 모두 사용하여 몫이 가장 크게 되는 나눗셈식을 만들고 계산하세요.

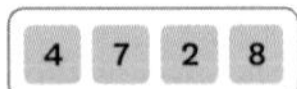


식 $8\frac{4}{7} \div 2 = 4\frac{2}{7}$ 　답 $4\frac{2}{7}$

나누어지는 수가 클수록, 나누는 수는 작을수록 큽니다.

9 평행사변형의 넓이가 $10\frac{4}{5}$ $m^2$이고 가로가 3 m일 때 세로를 구하세요.

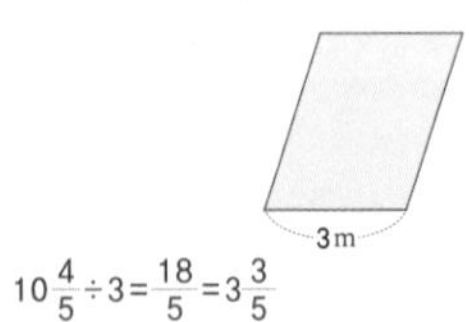


$3\frac{3}{5}$ m

$10\frac{4}{5} \div 3 = \frac{18}{5} = 3\frac{3}{5}$

# 분수와 분수의 나눗셈



1일 421

## 분모가 같은 분수의 나눗셈

개념원리 분모가 같은 분수의 나눗셈을 나누는 분수만큼 묶어 세어 구해 봅시다.

$\frac{6}{7} \div \frac{2}{7} = 6 \div 2 = 3$

$\frac{6}{7}$은 $\frac{1}{7}$이 6개이고 $\frac{2}{7}$는 $\frac{1}{7}$이 2개이므로
6개를 2개로 나누는 것과 같습니다.
6개를 2개씩 묶으면 3묶음이 됩니다.

$\frac{7}{10} \div \frac{3}{10} = 7 \div 3 = \frac{7}{3} = 2\frac{1}{3}$

$\frac{7}{10}$은 $\frac{1}{10}$이 7개이고 $\frac{3}{10}$은 $\frac{1}{10}$이 3개이므로
7개를 3개로 나누는 것과 같습니다.
7개를 3개씩 묶으면 2묶음과 $\frac{1}{3}$ 묶음이 됩니다.

분모가 같은 분수의 나눗셈은 분자끼리 나누어 계산합니다. $\frac{㉡}{㉠} \div \frac{㉢}{㉠} = ㉡ \div ㉢$

$\frac{4}{5} \div \frac{2}{5} = 4 \div 2 = 2$

$\frac{5}{8} \div \frac{3}{8} = 5 \div 3 = \frac{5}{3} = 1\frac{2}{3}$

$\frac{7}{4} \div \frac{2}{4} = 7 \div 2 = \frac{7}{2} = 3\frac{1}{2}$

$\frac{10}{3} \div \frac{4}{3} = 10 \div 4 = \frac{10}{4} = 2\frac{1}{2}$

$\frac{3}{7} \div \frac{1}{7} = 3$

계산 결과는 기약분수로 나타내고, 가분수이면 대분수로 나타냅니다.

$\frac{2}{5} \div \frac{3}{5} = \frac{2}{3}$ | $\frac{8}{3} \div \frac{5}{3} = 1\frac{3}{5}$

$\frac{4}{6} \div \frac{7}{6} = \frac{4}{7}$ | $\frac{10}{9} \div \frac{4}{9} = 2\frac{1}{2}$

$\frac{12}{7} \div \frac{8}{7} = 1\frac{1}{2}$ | $\frac{11}{12} \div \frac{6}{12} = 1\frac{5}{6}$

$\frac{8}{9} \div \frac{2}{9} = 4$ | $\frac{23}{10} \div \frac{14}{10} = 1\frac{9}{14}$

$\frac{16}{11} \div \frac{6}{11} = 2\frac{2}{3}$ | $\frac{17}{21} \div \frac{4}{21} = 4\frac{1}{4}$






## 응용연산

1 분수의 나눗셈을 하여 빈칸에 알맞은 수를 쓰세요.

| $\div \frac{4}{7}$ | |
|---|---|
| $\frac{1}{7}$ | $\frac{1}{4}$ |
| $\frac{2}{7}$ | $\frac{1}{2}$ |
| $\frac{6}{7}$ | $1\frac{1}{2}$ |

| $\div \frac{10}{13}$ | |
|---|---|
| $\frac{5}{13}$ | $\frac{1}{2}$ |
| $\frac{8}{13}$ | $\frac{4}{5}$ |
| $\frac{25}{13}$ | $2\frac{1}{2}$ |

2 계산 결과가 가장 큰 것에 ○표, 가장 작은 것에 △표 하세요.

| $\frac{10}{6} \div \frac{5}{6}$ 2 | $\frac{3}{8} \div \frac{1}{8}$ 3 | $\frac{2}{5} \div \frac{4}{5}$ $\frac{1}{2}$ (△) | $\frac{7}{9} \div \frac{2}{9}$ $3\frac{1}{2}$ (○) |
|---|---|---|---|

| $\frac{4}{7} \div \frac{3}{7}$ $1\frac{1}{3}$ (△) | $\frac{13}{15} \div \frac{4}{15}$ $3\frac{1}{4}$ | $\frac{11}{4} \div \frac{3}{4}$ $3\frac{2}{3}$ (○) | $\frac{21}{11} \div \frac{6}{11}$ $3\frac{1}{2}$ |
|---|---|---|---|

3 그림에 알맞은 진분수끼리의 나눗셈식을 만들고 계산하세요.

$\frac{8}{11} \div \frac{2}{11} = 4$

$\frac{5}{6} \div \frac{3}{6} = 1\frac{2}{3}$

4 수직선을 보고 ㉡÷㉠의 몫을 구하세요.

0 ㉠ ㉡ 1

$1\frac{2}{3}$

$\frac{5}{6} \div \frac{3}{6} = 1\frac{2}{3}$

0 ㉠ ㉡ 1

$3\frac{1}{2}$

$\frac{7}{9} \div \frac{2}{9} = 3\frac{1}{2}$

5 오늘 민주는 수학 공부를 $\frac{11}{12}$시간 동안 하였고, 수지는 $\frac{5}{12}$시간 동안 하였습니다. 민주가 수학 공부를 한 시간은 수지가 수학 공부를 한 시간의 몇 배인지 구하세요.

식 $\frac{11}{12} \div \frac{5}{12} = 2\frac{1}{5}$ 답 $2\frac{1}{5}$ 배

6 주스 $\frac{10}{11}$ L를 한 병에 $\frac{2}{11}$ L씩 똑같이 나누어 담으려고 합니다. 남김없이 담으려면 몇 병이 필요한가요?

식 $\frac{10}{11} \div \frac{2}{11} = 5$ 답 5 병

## 30·31쪽

### 2일 422 분모가 다른 분수의 나눗셈

개념 원리: 분모가 다른 분수의 나눗셈을 알아봅시다.

$\frac{5}{9}\div\frac{5}{18}=\frac{\boxed{10}}{18}\div\frac{5}{18}=\boxed{10}\div\boxed{5}=\boxed{2}$

$\frac{3}{4}\div\frac{1}{6}=\frac{\boxed{9}}{12}\div\frac{2}{12}=\boxed{9}\div\boxed{2}=\frac{\boxed{9}}{\boxed{2}}=\boxed{4}\frac{\boxed{1}}{\boxed{2}}$

분모가 다른 분수의 나눗셈은 통분하여 분모를 같게 만든 후 분자끼리 나누어 구합니다.

$\frac{1}{2}\div\frac{3}{8}=\frac{\boxed{4}}{8}\div\frac{3}{8}=\boxed{4}\div\boxed{3}=\frac{\boxed{4}}{\boxed{3}}=\boxed{1}\frac{\boxed{1}}{\boxed{3}}$

$\frac{5}{6}\div\frac{1}{2}=\frac{5}{6}\div\frac{\boxed{3}}{6}=\boxed{5}\div\boxed{3}=\frac{\boxed{5}}{\boxed{3}}=\boxed{1}\frac{\boxed{2}}{\boxed{3}}$

$\frac{2}{3}\div\frac{2}{5}=\frac{\boxed{10}}{15}\div\frac{\boxed{6}}{15}=\boxed{10}\div\boxed{6}=\frac{\overset{5}{\cancel{10}}}{\underset{3}{\cancel{6}}}=\boxed{1}\frac{\boxed{2}}{\boxed{3}}$

$\frac{3}{8}\div\frac{1}{12}=\frac{\boxed{9}}{24}\div\frac{\boxed{2}}{24}=\boxed{9}\div\boxed{2}=\frac{\boxed{9}}{\boxed{2}}=\boxed{4}\frac{\boxed{1}}{\boxed{2}}$

$\frac{1}{4}\div\frac{1}{8}=2$ $\frac{2}{3}\div\frac{5}{6}=\frac{4}{5}$

$\frac{1}{2}\div\frac{3}{10}=1\frac{2}{3}$ $\frac{8}{9}\div\frac{2}{3}=1\frac{1}{3}$

$\frac{4}{5}\div\frac{4}{15}=3$ $\frac{6}{7}\div\frac{2}{5}=2\frac{1}{7}$

$\frac{2}{3}\div\frac{7}{9}=\frac{6}{7}$ $\frac{9}{11}\div\frac{3}{7}=1\frac{10}{11}$

$\frac{4}{15}\div\frac{1}{6}=1\frac{3}{5}$ $\frac{3}{10}\div\frac{5}{8}=\frac{12}{25}$

$\frac{3}{4}\div\frac{6}{7}=\frac{7}{8}$ $\frac{7}{12}\div\frac{2}{9}=2\frac{5}{8}$




## 32·33쪽

### 응용연산

1 빈칸에 알맞은 수를 쓰세요.

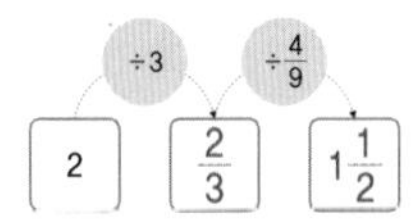


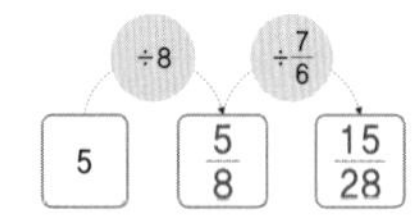


2 큰 수를 작은 수로 나눈 몫을 구하세요.

| $\frac{5}{8}$ | $\frac{6}{7}$ |
|---|---|

$1\frac{13}{35}$

$\frac{6}{7}\div\frac{5}{8}=1\frac{13}{35}$

| $\frac{7}{15}$ | $\frac{11}{20}$ |
|---|---|

$1\frac{5}{28}$

$\frac{11}{20}\div\frac{7}{15}=1\frac{5}{28}$

3 □ 안에 알맞은 수를 쓰세요.

$\boxed{\frac{5}{12}}\times\frac{8}{9}=\frac{10}{27}$

$\frac{10}{27}\div\frac{8}{9}=\frac{5}{12}$

$\boxed{1\frac{7}{8}}\times\frac{5}{12}=\frac{25}{32}$

$\frac{25}{32}\div\frac{5}{12}=1\frac{7}{8}$

4 다음 중 두 수를 골라 몫이 가장 큰 나눗셈식을 만들고 몫을 구하세요.

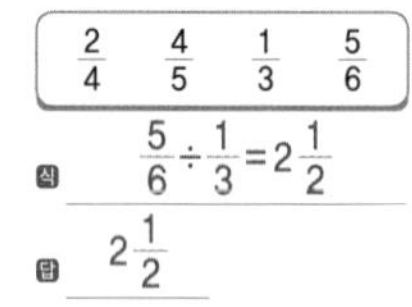


식 $\frac{5}{6}\div\frac{1}{3}=2\frac{1}{2}$

답 $2\frac{1}{2}$

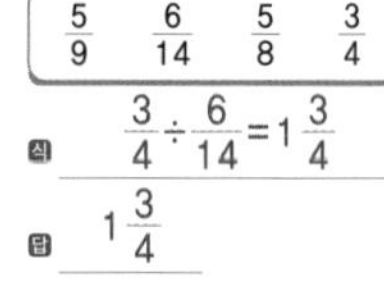


식 $\frac{3}{4}\div\frac{6}{14}=1\frac{3}{4}$

답 $1\frac{3}{4}$

나누어지는 수가 클수록, 나누는 수는 작을수록 몫이 큽니다.

5 굵기가 일정한 빗줄 $\frac{8}{11}$ m의 무게가 $\frac{6}{7}$ kg입니다. 빗줄 1 m의 무게는 얼마인지 구하세요.

식 $\frac{6}{7}\div\frac{8}{11}=1\frac{5}{28}$ 답 $1\frac{5}{28}$ kg

6 길이가 $\frac{4}{3}$ m인 색 테이프를 한 사람에게 $\frac{4}{9}$ m씩 나누어 준다면 모두 몇 명에게 나누어 줄 수 있을까요?

식 $\frac{4}{3}\div\frac{4}{9}=3$ 답 3 명

## 34·35쪽

### 3일 423 (자연수)÷(분수)

개념원리 자연수와 분수의 나눗셈을 알아봅시다.

[방법 1] $6\div\frac{2}{5}=\frac{30}{5}\div\frac{2}{5}=30\div2=15$

통분하여 분모를 같게 만든 후 분자끼리 나누어 구합니다.

[방법 2] $6\div\frac{2}{5}=6\times\frac{5}{2}=15$

분수의 곱셈으로 나타내어 계산합니다. 계산 과정에서 약분이 되면 약분을 먼저 하고 계산합니다.

[방법 1] $9\div\frac{3}{2}=\frac{18}{2}\div\frac{3}{2}=18\div3=6$

[방법 2] $9\div\frac{3}{2}=9\times\frac{2}{3}=6$

[방법 1] $8\div\frac{6}{7}=\frac{56}{7}\div\frac{6}{7}=56\div6=\frac{56}{6}=9\frac{1}{3}$

[방법 2] $8\div\frac{6}{7}=8\times\frac{7}{6}=\frac{28}{3}=9\frac{1}{3}$

$8\div\frac{1}{4}=32$ $5\div\frac{2}{3}=7\frac{1}{2}$

$2\div\frac{6}{5}=1\frac{2}{3}$ $4\div\frac{7}{10}=5\frac{5}{7}$

$3\div\frac{3}{8}=8$ $10\div\frac{4}{5}=12\frac{1}{2}$

$8\div\frac{6}{11}=14\frac{2}{3}$ $2\div\frac{10}{3}=\frac{3}{5}$

$6\div\frac{4}{9}=13\frac{1}{2}$ $12\div\frac{4}{7}=21$

$9\div\frac{12}{5}=3\frac{3}{4}$ $20\div\frac{16}{15}=18\frac{3}{4}$




## 36·37쪽

### 응용연산

1 빈칸에 알맞은 수를 쓰세요.

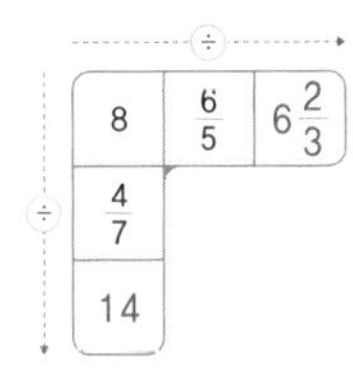


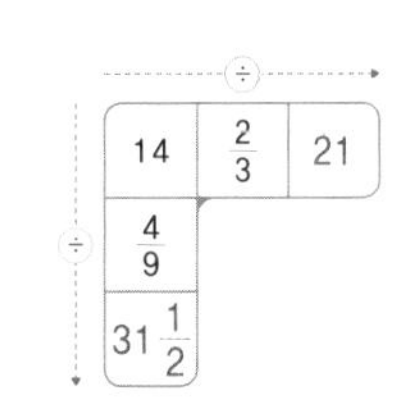


2 계산 결과가 자연수인 것을 모두 찾아 ○표 하세요.

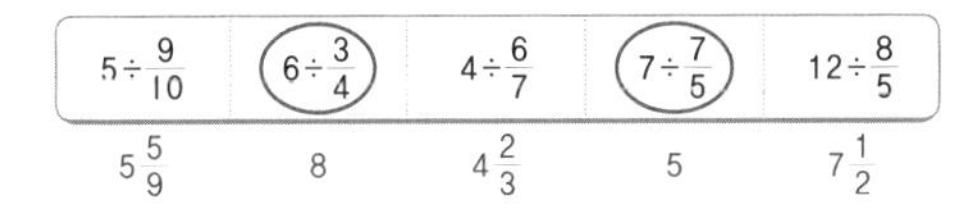


$5\frac{5}{9}$ 8 $4\frac{2}{3}$ 5 $7\frac{1}{2}$

3 다음과 같이 계산해 보세요.

$6\div\frac{2}{5}=(6\div2)\times5=15$

$9\div\frac{3}{4}=(9\div3)\times4=12$

$14\div\frac{2}{9}=(14\div2)\times9=63$

4 수 카드 4장 중 3장을 한 번씩 사용하여 (자연수)÷(진분수)의 식을 만들려고 합니다. 나올 수 있는 몫 중에서 가장 큰 몫과 가장 작은 몫을 각각 구하세요.

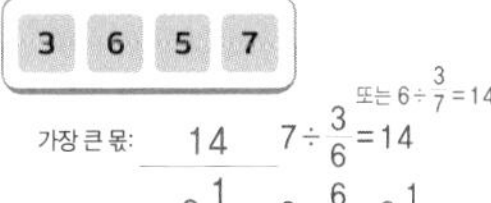


가장 큰 몫: 14 $7\div\frac{3}{6}=14$ 또는 $6\div\frac{3}{7}=14$

가장 작은 몫: $3\frac{1}{2}$ $3\div\frac{6}{7}=3\frac{1}{2}$

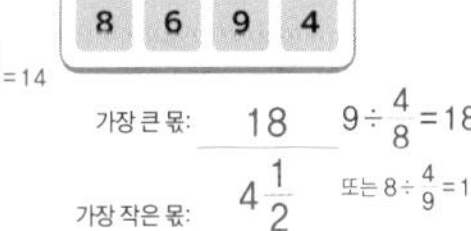


가장 큰 몫: 18 $9\div\frac{4}{8}=18$

가장 작은 몫: $4\frac{1}{2}$ 또는 $8\div\frac{4}{9}=18$

(가장 큰 수)÷(가장 작은 수)=(가장 큰 몫)

(가장 작은 수)÷(가장 큰 수)=(가장 작은 몫)

$4\div\frac{8}{9}=\frac{9}{2}=4\frac{1}{2}$

5 냉장고에 우유 6 L가 있습니다. 우유를 하루에 $\frac{3}{5}$ L씩 마신다면 며칠 동안 마실 수 있는지 구하세요.

식 $6\div\frac{3}{5}=10$ 답 10 일

6 진우는 4 km를 걷는 데에 $\frac{7}{8}$ 시간이 걸렸습니다. 같은 빠르기로 걷는다면 한 시간에 몇 km를 갈 수 있을까요?

식 $4\div\frac{7}{8}=4\frac{4}{7}$ 답 $4\frac{4}{7}$ km

38·39쪽

4일 424 **진분수, 가분수, 대분수의 나눗셈**

개념원리 곱셈을 이용하여 분수의 나눗셈을 해 봅시다.

$\frac{3}{4}\div\frac{5}{8}=\frac{3}{4}\times\frac{8}{5}=\frac{6}{5}=1\frac{1}{5}$ (약분: $\frac{3}{\cancel{4}_1}\times\frac{\cancel{8}^2}{5}$)

분수의 나눗셈을 분수의 곱셈으로 나타내어 계산합니다. 계산 과정에서 약분이 되면 약분을 먼저 하고 계산합니다.

$1\frac{1}{3}\div1\frac{1}{5}=\frac{4}{3}\div\frac{6}{5}=\frac{4}{3}\times\frac{5}{6}=\frac{10}{9}=1\frac{1}{9}$ (약분: $\frac{\cancel{4}^2}{3}\times\frac{5}{\cancel{6}_3}$)

대분수의 나눗셈은 대분수를 가분수로 고친 후 분수의 곱셈으로 나타내어 계산합니다.
계산 과정에서 약분이 되면 약분을 먼저 하고 계산합니다.

$\frac{6}{7}\div\frac{8}{9}=\frac{\cancel{6}^3}{7}\times\frac{9}{\cancel{8}_4}=\frac{27}{28}$

$\frac{5}{9}\div\frac{4}{3}=\frac{5}{\cancel{9}_3}\times\frac{\cancel{3}^1}{4}=\frac{5}{12}$

$3\frac{1}{2}\div\frac{3}{4}=\frac{7}{2}\div\frac{3}{4}=\frac{7}{\cancel{2}_1}\times\frac{\cancel{4}^2}{3}=\frac{14}{3}=4\frac{2}{3}$

$2\frac{2}{3}\div1\frac{3}{7}=\frac{8}{3}\div\frac{10}{7}=\frac{\cancel{8}^4}{3}\times\frac{7}{\cancel{10}_5}=\frac{28}{15}=1\frac{13}{15}$

$\frac{4}{5}\div\frac{4}{15}=3$

$\frac{7}{2}\div\frac{2}{3}=5\frac{1}{4}$

$\frac{10}{3}\div\frac{10}{4}=1\frac{1}{3}$

$\frac{5}{6}\div\frac{3}{8}=2\frac{2}{9}$

$1\frac{2}{3}\div\frac{2}{3}=2\frac{1}{2}$

$\frac{1}{2}\div2\frac{3}{8}=\frac{4}{19}$

$\frac{7}{4}\div2\frac{1}{6}=\frac{21}{26}$

$2\frac{2}{5}\div1\frac{3}{5}=1\frac{1}{2}$

$3\frac{3}{7}\div\frac{9}{14}=5\frac{1}{3}$

$\frac{2}{3}\div1\frac{4}{9}=\frac{6}{13}$

$2\frac{2}{9}\div1\frac{5}{10}=1\frac{13}{27}$

$2\frac{5}{8}\div2\frac{7}{10}=\frac{35}{36}$





40·41쪽

응용연산

1 분수의 나눗셈을 하여 빈칸에 알맞은 수를 쓰세요.

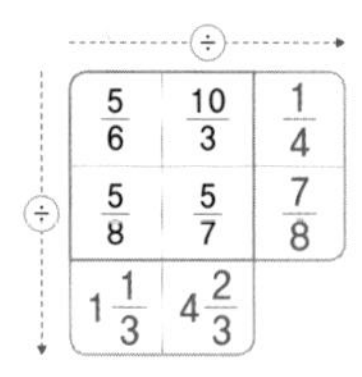

| $\frac{5}{6}$ | $\frac{10}{3}$ | $\frac{1}{4}$ |
|---|---|---|
| $\frac{5}{8}$ | $\frac{5}{7}$ | $\frac{7}{8}$ |
| $1\frac{1}{3}$ | $4\frac{2}{3}$ | |

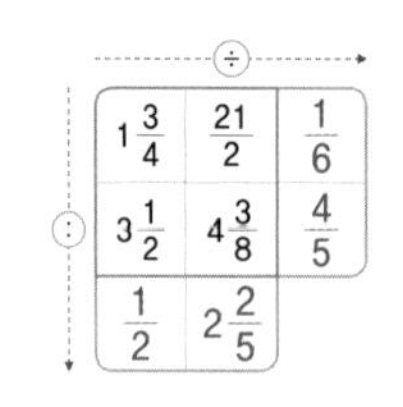

| $1\frac{3}{4}$ | $\frac{21}{2}$ | $\frac{1}{6}$ |
|---|---|---|
| $3\frac{1}{2}$ | $4\frac{3}{8}$ | $\frac{4}{5}$ |
| $\frac{1}{2}$ | $2\frac{2}{5}$ | |

2 ○ 안에 >, =, <를 알맞게 넣으세요.

$1\frac{1}{3}$ $\frac{1}{2}\div\frac{3}{8}$ (>) $\frac{2}{5}\div\frac{6}{10}$ $\frac{2}{3}$

$2\frac{1}{3}$ $2\div\frac{6}{7}$ (<) $\frac{5}{6}\div\frac{3}{10}$ $2\frac{7}{9}$

$2\frac{1}{4}$ $1\frac{2}{4}\div\frac{2}{3}$ (>) $2\frac{1}{7}\div1\frac{1}{4}$ $1\frac{5}{7}$

$\frac{9}{22}$ $\frac{9}{14}\div1\frac{4}{7}$ (>) $\frac{7}{9}\div2\frac{2}{3}$ $\frac{7}{24}$

3 계산 결과가 1보다 작은 것을 모두 찾아 ○표 하세요.

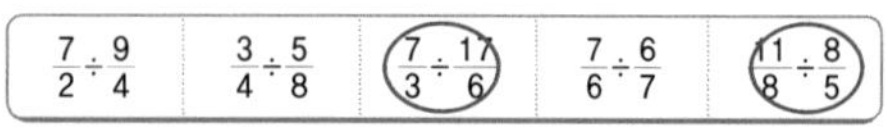

| $\frac{7}{2}\div\frac{9}{4}$ | $\frac{3}{4}\div\frac{5}{8}$ | ($\frac{7}{3}\div\frac{17}{6}$) | $\frac{7}{6}\div\frac{6}{7}$ | ($\frac{11}{8}\div\frac{8}{5}$) |
|---|---|---|---|---|

나누어지는 수보다 나누는 수가 더 크면 계산 결과가 1보다 작습니다.

4 다음과 같이 2가지 방법으로 계산해 보세요.

**방법1** 통분하여 분모를 같게 만든 후 분자끼리 나누어 구합니다.

$1\frac{2}{3}\div2\frac{1}{2}=\frac{5}{3}\div\frac{5}{2}=\frac{10}{6}\div\frac{15}{6}=10\div15=\frac{2}{3}$

**방법2** 분수의 곱셈으로 바꾸어 계산합니다.

$1\frac{2}{3}\div2\frac{1}{2}=\frac{5}{3}\div\frac{5}{2}=\frac{\cancel{5}^1}{3}\times\frac{2}{\cancel{5}_1}=\frac{2}{3}$

방법1 $3\frac{3}{5}\div2\frac{7}{10}=\frac{18}{5}\div\frac{27}{10}=\frac{36}{10}\div\frac{27}{10}=36\div27=1\frac{1}{3}$

방법2 $3\frac{3}{5}\div2\frac{7}{10}=\frac{18}{5}\div\frac{27}{10}=\frac{\cancel{18}^2}{\cancel{5}_1}\times\frac{\cancel{10}^2}{\cancel{27}_3}=1\frac{1}{3}$

5 주어진 나눗셈의 계산 결과가 자연수일 때 □ 안에 들어갈 수 있는 1보다 큰 자연수를 모두 쓰세요.

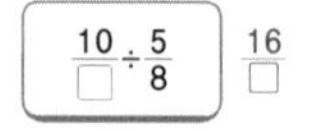

$\frac{10}{□}\div\frac{5}{8}$ → $\frac{16}{□}$

2, 4, 8, 16

□: 1보다 큰 16의 약수

$1\frac{5}{9}\div\frac{□}{18}$ → $\frac{28}{□}$

2, 4, 7, 14, 28

□: 1보다 큰 28의 약수

6 $1\frac{1}{4}$ L의 휘발유로 $6\frac{3}{7}$ km를 가는 자동차가 있습니다. 이 자동차는 1 L의 휘발유로 몇 km를 갈 수 있을까요?

식 $6\frac{3}{7}\div1\frac{1}{4}=5\frac{1}{7}$ 답 $5\frac{1}{7}$ km

## 42·43쪽

5일 **형성평가**

1 분수의 나눗셈을 하여 빈칸에 알맞은 수를 쓰세요.

| $\div\frac{3}{8}$ | |
|---|---|
| $\frac{1}{8}$ | $\frac{1}{3}$ |
| $\frac{5}{8}$ | $1\frac{2}{3}$ |
| $\frac{7}{8}$ | $2\frac{1}{3}$ |

| $\div\frac{8}{11}$ | |
|---|---|
| $\frac{2}{11}$ | $\frac{1}{4}$ |
| $\frac{6}{11}$ | $\frac{3}{4}$ |
| $\frac{10}{11}$ | $1\frac{1}{4}$ |

2 그림에 알맞은 진분수끼리의 나눗셈식을 만들고 계산하세요.

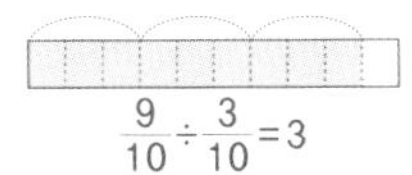

$\frac{9}{10}\div\frac{3}{10}=3$

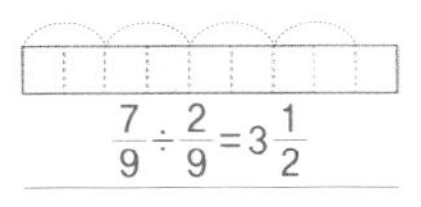

$\frac{7}{9}\div\frac{2}{9}=3\frac{1}{2}$

3 호스 $\frac{5}{8}$ m의 무게가 $\frac{1}{4}$ kg입니다. 호스 1 m의 무게는 얼마인지 구하세요.

식 $\frac{1}{4}\div\frac{5}{8}=\frac{2}{5}$ 답 $\frac{2}{5}$ kg

4 □ 안에 알맞은 수를 쓰세요.

$\boxed{\frac{2}{3}}\times\frac{5}{8}=\frac{5}{12}$ ($\frac{5}{12}\div\frac{5}{8}=\frac{2}{3}$)

$\boxed{\frac{7}{12}}\times\frac{8}{9}=\frac{14}{27}$ ($\frac{14}{27}\div\frac{8}{9}=\frac{7}{12}$)

5 수 카드 4장 중 3장을 한 번씩 사용하여 (자연수)÷(진분수)의 식을 만들려고 합니다. 나올 수 있는 몫 중에서 가장 큰 몫과 가장 작은 몫을 각각 구하세요.

3 2 6 8

가장 큰 몫: 24 ($8\div\frac{2}{6}=24$), 가장 작은 몫: $2\frac{2}{3}$ ($2\div\frac{6}{8}=2\frac{2}{3}$)

6 다음과 같이 2가지 방법으로 계산해 보세요.

방법1 통분하여 분모를 같게 만든 후 분자끼리 나누어 구합니다.

$\frac{3}{4}\div\frac{5}{6}=\frac{9}{12}\div\frac{10}{12}=9\div10=\frac{9}{10}$

방법2 분수의 곱셈으로 바꾸어 계산합니다.

$\frac{3}{4}\div\frac{5}{6}=\frac{3}{4}\times\frac{6}{5}=\frac{9}{10}$

방법1 $\frac{7}{6}\div\frac{8}{9}=\frac{21}{18}\div\frac{16}{18}=\frac{21}{16}=1\frac{5}{16}$

방법2 $\frac{7}{6}\div\frac{8}{9}=\frac{7}{6}\times\frac{9}{8}=\frac{21}{16}=1\frac{5}{16}$





## 44쪽

7 ○ 안에 >, =, <를 알맞게 넣으세요.

$\frac{9}{7}\div\frac{9}{10}$ ($1\frac{3}{7}$) > $\frac{4}{7}\div\frac{4}{5}$ ($\frac{5}{7}$)

$\frac{3}{4}\div\frac{7}{10}$ ($1\frac{1}{14}$) < $\frac{4}{5}\div\frac{5}{8}$ ($1\frac{7}{25}$)

8 계산 결과가 1보다 큰 것을 모두 찾아 ○표 하세요.

| $\frac{6}{7}\div\frac{6}{5}$ | ($\frac{5}{8}\div\frac{5}{9}$) | $\frac{7}{5}\div\frac{3}{2}$ | ($\frac{7}{9}\div\frac{5}{7}$) | $\frac{13}{6}\div\frac{9}{4}$ |
|---|---|---|---|---|

나누어지는 수보다 나누는 수가 더 작으면 계산 결과가 1보다 큽니다.

9 민수의 가방 무게는 $7\frac{1}{3}$ kg이고, 진우의 가방 무게는 $3\frac{5}{9}$ kg입니다. 민수의 가방 무게는 진우의 가방 무게의 몇 배인가요?

식 $7\frac{1}{3}\div3\frac{5}{9}=2\frac{1}{16}$ 답 $2\frac{1}{16}$ 배

# 소수의 나눗셈

## 46·47쪽

1일 425 소수와 자연수의 나눗셈 (1)

개념원리 (소수)÷(자연수)의 몫을 구하는 방법을 알아봅시다.

[방법 1] $5.36\div4=\frac{536}{100}\div4=\frac{536\div4}{100}=\frac{134}{100}=1.34$

분수의 나눗셈으로 바꾸어 계산합니다.

[방법 2] $536\div4=134$ ➡ $5.36\div4=1.34$ ($\frac{1}{100}$배 → $\frac{1}{100}$배)

자연수의 나눗셈을 이용하여 계산합니다. 나누어지는 수가 $\frac{1}{100}$배가 되면 몫도 $\frac{1}{100}$배가 됩니다.

[방법 1] $7.5\div3=\frac{75}{10}\div3=\frac{75\div3}{10}=\frac{25}{10}=2.5$

[방법 2] $75\div3=25$ ➡ $7.5\div3=2.5$ ($\frac{1}{10}$배 → $\frac{1}{10}$배)

[방법 1] $3\div4=\frac{3}{4}=\frac{75}{100}=0.75$

[방법 2] $300\div4=75$ ➡ $3\div4=0.75$ ($\frac{1}{100}$배 → $\frac{1}{100}$배)

70÷2 =35
7÷2 =3.5
0.7÷2=0.35

396÷3 =132
39.6÷3=13.2
3.96÷3=1.32

980÷4 =245
98÷4 =24.5
9.8÷4 =2.45
0.98÷4=0.245

2790÷6=465
279÷6 =46.5
27.9÷6=4.65
2.79÷6=0.465

2.1÷7=0.3　4.8÷4=1.2　3÷5=0.6

51.6÷6=8.6　7.56÷7=1.08　31.5÷9=3.5

2.53÷11=0.23　6÷8=0.75　8.54÷4=2.135

46 응용연산 E3　　3주: 소수의 나눗셈 47

## 48·49쪽

응용연산

1 빈칸에 알맞은 수를 쓰세요.

365 →(÷5)→ 73 →(÷2)→ 36.5

13.8 →(÷3)→ 4.6 →(÷4)→ 1.15

2 몫이 가장 큰 수에 ○표, 가장 작은 수에 △표 하세요.

| 9.72÷9 | 6.93÷3 (○) | 4.2÷4 | 2.76÷6 (△) |
|---|---|---|---|
| 1.08 | 2.31 | 1.05 | 0.46 |
| 21.6÷8 (△) | 11÷4 | 21.28÷7 | 15.25÷5 (○) |
| 2.7 | 2.75 | 3.04 | 3.05 |

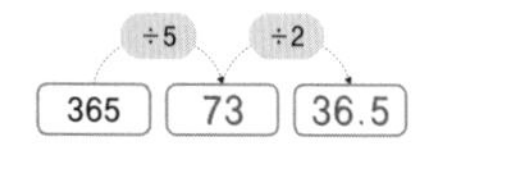

3 □ 안에 알맞은 수를 쓰세요.

2660÷4=665
➡ 2.66÷4=0.665
나누어지는 수가 $\frac{1}{1000}$배가 되면 몫도 $\frac{1}{1000}$배가 됩니다.

540÷5=108
➡ 5.4÷5=1.08
나누어지는 수가 $\frac{1}{100}$배가 되면 몫도 $\frac{1}{100}$배가 됩니다.

4 수 카드 4장 중 3장을 한 번씩 사용하여 가장 큰 소수 두 자리 수를 만들고, 남은 수 카드의 수로 나누었을 때의 몫을 구하세요.

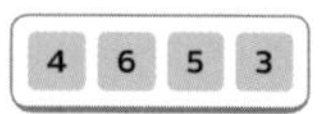


식 6.54÷3=2.18　답 2.18

5 주어진 넓이의 도형을 똑같이 나누었습니다. 색칠한 부분의 넓이를 구하세요.

10.4 m²
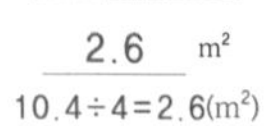
2.6 m²
10.4÷4=2.6(m²)

13.5 m²
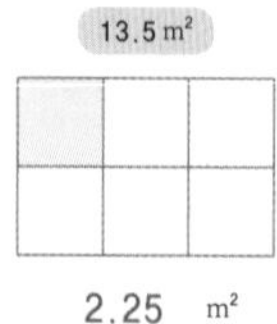
2.25 m²
13.5÷6=2.25(m²)

6 무게가 같은 상자 8개의 무게를 달았더니 25.2 kg이었습니다. 상자 한 개의 무게는 몇 kg인가요?

식 25.2÷8=3.15　답 3.15 kg

48 응용연산 E3　　3주: 소수의 나눗셈 49

50·51쪽

2일 426

## 소수와 자연수의 나눗셈 (2)

개념원리

(소수)÷(자연수), (자연수)÷(자연수)의 몫을 세로셈으로 구해 봅시다.

```
    3 1.9            0.7 5
  ┌──────          ┌──────
2 ) 6 3.8        8 ) 6
    6                5 6
    ───              ─────
      3                4 0
      2                4 0
    ─────              ───
      1 8                0
      1 8
    ─────
        0
```

자연수의 나눗셈과 같은 방법으로 구한 뒤, 나누어지는 수의 소수점의 위치에 맞추어 몫에 소수점을 찍습니다.

8로 6을 나눌 수 없으므로 몫에 0을 쓰고 0을 하나 받아내려 계산합니다. 더 이상 계산할 수 없을 때까지 받아내림을 하며, 받아내릴 수가 없을 경우 0을 받아내려 계산합니다.

```
    1 3.4          1.0 4          0.6 8
4 ) 5 3.6      5 ) 5.2        7 ) 4.7 6
    4              5              4 2
    ───            ───            ─────
    1 3              2 0            5 6
    1 2              2 0            5 6
    ───              ───            ───
      1 6              0              0
      1 6
      ───
        0
```

```
    1 7.8          5.2 9          0.6 3
4 ) 7 1.2      7 ) 3 7.0 3    9 ) 5.6 7
    4              3 5            5 4
    ───            ───            ───
    3 1              2 0            2 7
    2 8              1 4            2 7
    ───              ───            ───
      3 2              6 3            0
      3 2              6 3
      ───              ───
        0                0

    2.0 6          1.0 4          3.3 5
3 ) 6.1 8      8 ) 8.3 2      2 ) 6.7 0
    6              8              6
    ───            ───            ───
      1 8            3 2            7
      1 8            3 2            6
      ───            ───            ───
        0              0            1 0
                                    1 0
                                    ───
                                      0

    0.4 5          4.2 5            6.4
6 ) 2.7 0      8 ) 3 4.0 0    15 ) 9 6.0
    2 4            3 2             9 0
    ───            ───             ───
      3 0            2 0             6 0
      3 0            1 6             6 0
      ───            ───             ───
        0              4 0             0
                       4 0
                       ───
                         0
```





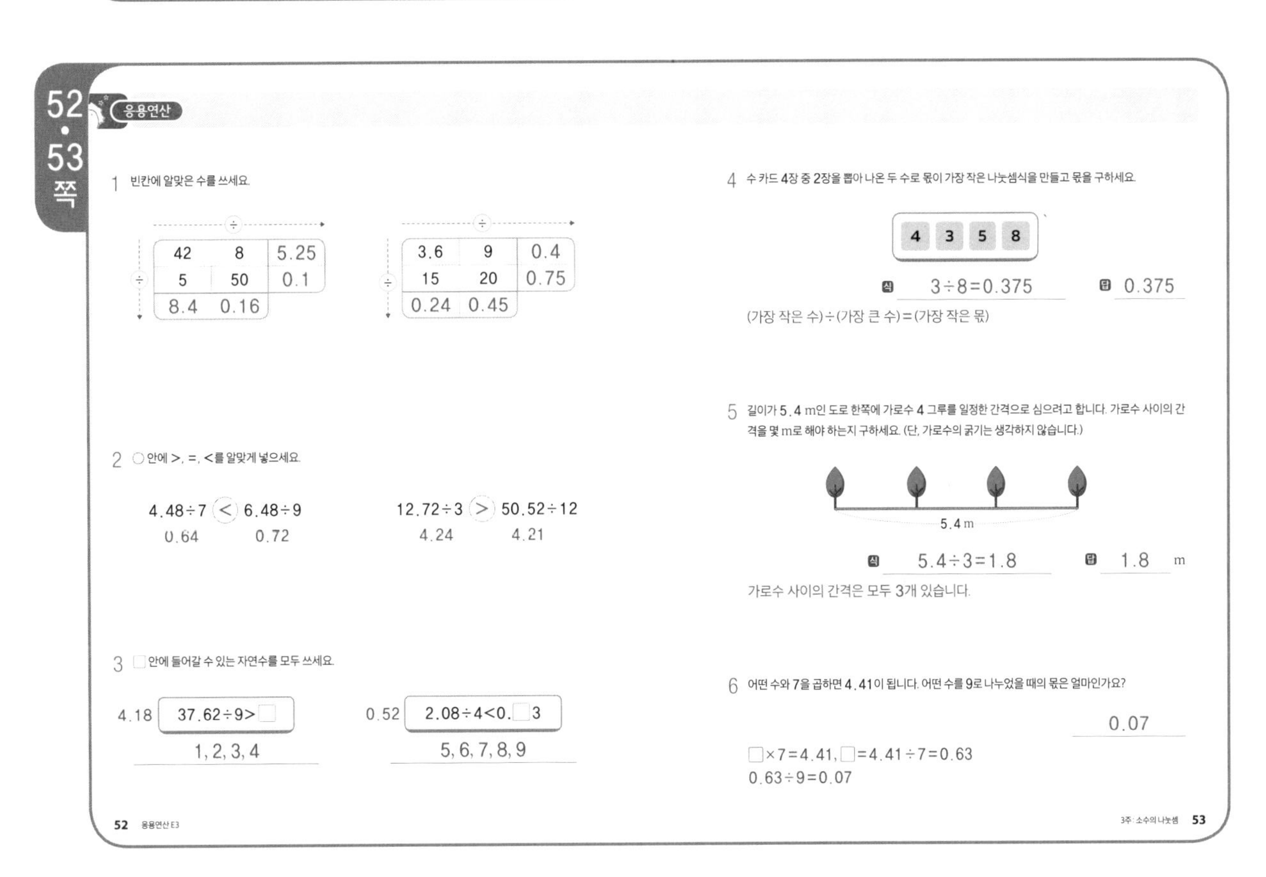

52·53쪽

응용연산

1 빈칸에 알맞은 수를 쓰세요.

| ÷ | | |
|---|---|---|
| 42 | 8 | 5.25 |
| 5 | 50 | 0.1 |
| 8.4 | 0.16 | |

| ÷ | | |
|---|---|---|
| 3.6 | 9 | 0.4 |
| 15 | 20 | 0.75 |
| 0.24 | 0.45 | |

2 ○ 안에 >, =, <를 알맞게 넣으세요.

4.48÷7 < 6.48÷9
0.64 0.72

12.72÷3 > 50.52÷12
4.24 4.21

3 □ 안에 들어갈 수 있는 자연수를 모두 쓰세요.

4.18 37.62÷9>□
1, 2, 3, 4

0.52 2.08÷4<0.□3
5, 6, 7, 8, 9

4 수 카드 4장 중 2장을 뽑아 나온 두 수로 몫이 가장 작은 나눗셈식을 만들고 몫을 구하세요.

4 3 5 8

식 3÷8=0.375 답 0.375

(가장 작은 수)÷(가장 큰 수)=(가장 작은 몫)

5 길이가 5.4 m인 도로 한쪽에 가로수 4 그루를 일정한 간격으로 심으려고 합니다. 가로수 사이의 간격을 몇 m로 해야 하는지 구하세요. (단, 가로수의 굵기는 생각하지 않습니다.)

5.4 m

식 5.4÷3=1.8 답 1.8 m

가로수 사이의 간격은 모두 3개 있습니다.

6 어떤 수와 7을 곱하면 4.41이 됩니다. 어떤 수를 9로 나누었을 때의 몫은 얼마인가요?

0.07

□×7=4.41, □=4.41÷7=0.63
0.63÷9=0.07

## 54·55쪽

3일 427 자릿수가 같은 소수의 나눗셈

개념원리 자릿수가 같은 소수의 나눗셈의 몫을 구하는 방법을 알아봅시다.

[방법 1]

$9.6 \div 0.4 = \frac{96}{10} \div \frac{4}{10}$

$= 96 \div 4$

$= 24$

분수의 나눗셈으로 바꾸어 계산합니다.

[방법 2]

0.4)9.6 → 24, 8, 16, 16, 0

나누는 수가 자연수가 되도록 나누어지는 수와 나누는 수의 소수점을 똑같이 오른쪽으로 한 자리씩 옮겨서 세로셈으로 계산합니다.

[방법 1]

$2.4 \div 0.3 = \frac{24}{10} \div \frac{3}{10}$

$= 24 \div 3$

$= 8$

[방법 2]

0.3)2.4 → 8, 24, 0

[방법 1]

$8.32 \div 0.64 = \frac{832}{100} \div \frac{64}{100}$

$= 832 \div 64$

$= 13$

[방법 2]

0.64)8.32 → 13, 64, 192, 192, 0

0.7)4.9 → 7, 49, 0

1.4)12.6 → 9, 126, 0

0.8)34.4 → 43, 32, 24, 24, 0

5.8)301.6 → 52, 290, 116, 116, 0

0.29)1.74 → 6, 174, 0

3.15)34.65 → 11, 315, 315, 315, 0

1.09)37.06 → 34, 327, 436, 436, 0

4.62)217.14 → 47, 1848, 3234, 3234, 0

7.63)114.45 → 15, 763, 3815, 3815, 0




## 56·57쪽

응용연산

1 □ 안에 알맞은 수를 써넣어 나눗셈을 하세요.

$5.6 \div 0.7 = 8$ → 10×, ×10 → $56 \div 7 = 8$

$3.36 \div 0.28 = 12$ → 100×, ×100 → $336 \div 28 = 12$

나누는 수와 나누어지는 수를 똑같이 몇 배하여도 몫은 변하지 않습니다.

2 계산 결과가 큰 것부터 차례로 1, 2, 3, 4를 쓰세요.

| 2.75÷0.25 | 16.8÷2.8 | 11.2÷1.4 | 8.4÷0.6 |
|---|---|---|---|
| ( 2 ) | ( 4 ) | ( 3 ) | ( 1 ) |
| 11 | 6 | 8 | 14 |

3 관계있는 것끼리 선으로 이으세요.

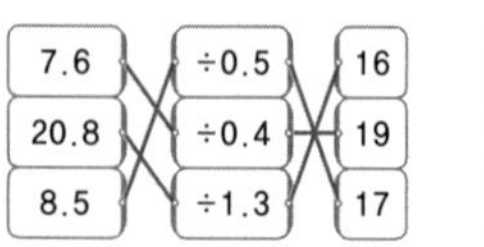


9.54 — ÷2.64 — 9
18.48 — ÷1.06 — 8
3.92 — ÷0.49 — 7

4 넓이가 모두 39.2 cm²인 사각형의 세로를 각각 구하여 □ 안에 쓰세요.

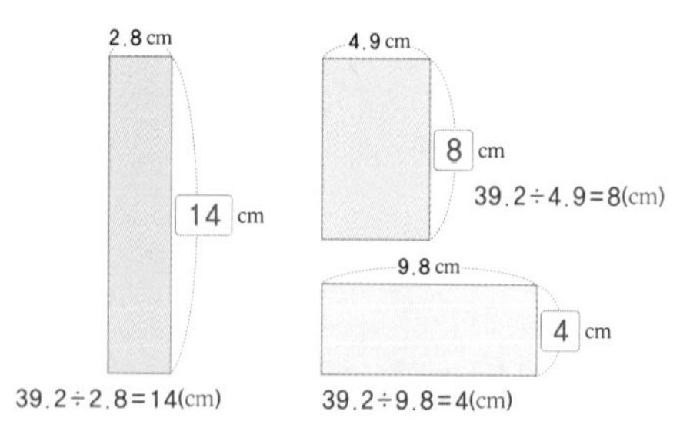


$39.2 \div 2.8 = 14$(cm)

$39.2 \div 4.9 = 8$(cm)

$39.2 \div 9.8 = 4$(cm)

5 콩 22.8 kg을 한 봉지에 0.6 kg씩 담으려고 합니다. 콩을 몇 봉지에 나누어 담을 수 있을까요?

식 $22.8 \div 0.6 = 38$ 답 38 봉지

6 물이 1분에 0.27 L씩 새어 나가는 수조가 있습니다. 수조에 14.04 L의 물이 들어 있다면 수조의 물이 모두 없어지는데 걸리는 시간은 몇 분인가요?

식 $14.04 \div 0.27 = 52$ 답 52 분

58·59쪽

4일 428

## 자릿수가 다른 소수의 나눗셈

개념원리

자릿수가 다른 소수의 나눗셈의 몫을 구하는 방법을 알아봅시다.

[방법 1]

4.68 ÷ 2.6 = 1.8

×10 ×10

46.8 ÷ 26 = 1.8

나누는 수가 자연수가 되도록 나누는 수와 나누어지는 수를 똑같이 10배하여 계산합니다.

[방법 2]

1.8

2.6 ) 4.6.8

26

208

208

0

나누는 수가 자연수가 되도록 나누어지는 수와 나누는 수의 소수점을 똑같이 오른쪽으로 한 자리씩 옮겨서 세로셈으로 계산합니다.

[방법 1]

6.48 ÷ 1.2 = 5.4

×10 ×10

64.8 ÷ 12 = 5.4

[방법 2]

5.4

1.2 ) 6.4.8

60

48

48

0

[방법 1]

2.1 ÷ 0.35 = 6

×100 ×100

210 ÷ 35 = 6

[방법 2]

6

0.35 ) 2.1

210

0

6.2: 0.9 ) 5.5.8 / 54 / 18 / 18 / 0

3.4: 2.8 ) 9.5.2 / 84 / 112 / 112 / 0

2.7: 5.3 ) 14.3.1 / 106 / 371 / 371 / 0

1.8: 4.1 ) 7.3.8 / 41 / 328 / 328 / 0

16: 1.5 ) 24.0 / 15 / 90 / 90 / 0

4.3: 0.46 ) 1.97.8 / 184 / 138 / 138 / 0

25: 0.24 ) 6.00 / 48 / 120 / 120 / 0

3.8: 2.36 ) 8.96.8 / 708 / 1888 / 1888 / 0

8.6: 3.74 ) 32.16.4 / 2992 / 2244 / 2244 / 0





60·61쪽

응용연산

1 빈칸에 알맞은 수를 쓰세요.

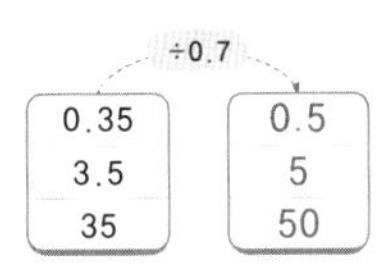


÷3.8

| 3.42 | 0.9 |
|---|---|
| 34.2 | 9 |
| 342 | 90 |

2 ○ 안에 >, =, <를 알맞게 넣으세요.

8.68÷0.7 < 9.1÷0.7

12.4 13

나누는 수가 같을 때는 나누어지는 수가 클수록 몫이 큽니다.

3.6÷0.45 > 3.6÷1.5

8 2.4

나누어지는 수가 같을 때는 나누는 수가 작을수록 몫이 큽니다.

3 다음과 같이 소수의 나눗셈을 분수의 나눗셈으로 바꾸어 계산해 보세요.

방법1 $1.26\div0.2=\frac{12.6}{10}\div\frac{2}{10}=12.6\div2=6.3$

방법2 $1.26\div0.2=\frac{126}{100}\div\frac{20}{100}=126\div20=6.3$

방법1 $3.15\div1.5=\frac{31.5}{10}\div\frac{15}{10}=31.5\div15=2.1$

방법2 $3.15\div1.5=\frac{315}{100}\div\frac{150}{100}=315\div150=2.1$

4 다음은 가, 나, 다 3개의 회사에서 파는 사과 주스의 가격입니다.

| 회사 | 양(L) | 가격(원) |
|---|---|---|
| 가 | 0.4 | 852 |
| 나 | 0.6 | 1170 |
| 다 | 1.2 | 2460 |

각 회사의 주스 1 L당 가격을 각각 구하세요.

가: 2130 원, 나: 1950 원, 다: 2050 원

852÷0.4=2130 1170÷0.6=1950 2460÷1.2=2050

어느 회사의 사과 주스를 사는 것이 가장 저렴할까요?

나 회사

5 어떤 수를 1.5로 나누어야 하는데 잘못하여 곱했더니 54가 되었습니다. 바르게 계산하면 얼마일까요?

24

□×1.5=54, □=54÷1.5=36

36÷1.5=24

6 둘레가 263.5 m인 원 모양의 공원이 있습니다. 이 공원의 둘레에 4.25 m 간격으로 가로수를 심을 때 가로수는 모두 몇 그루 심을 수 있을까요?

식 263.5÷4.25=62 답 62 그루

가로수의 수는 가로수 사이의 간격의 수와 같습니다.

62·63쪽

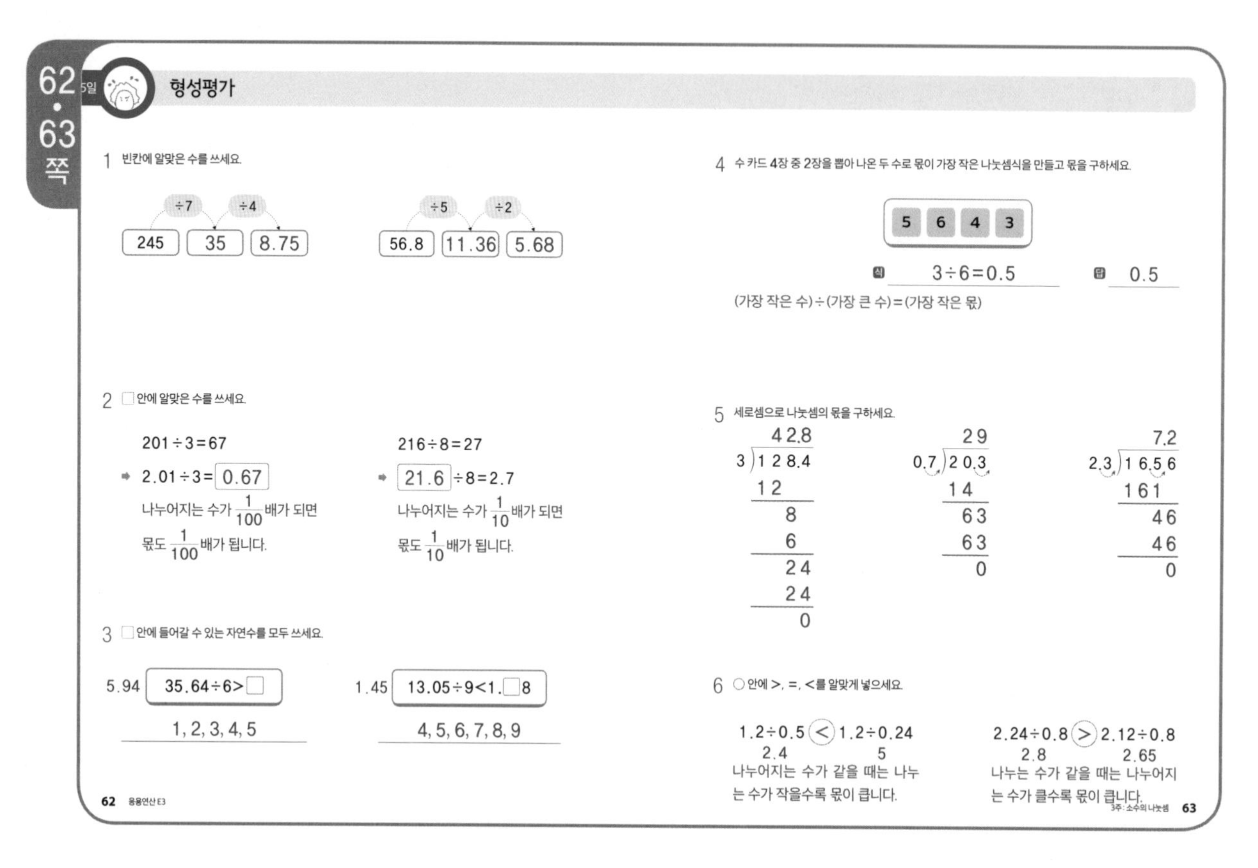

5일 형성평가

1 빈칸에 알맞은 수를 쓰세요.

÷7, ÷4: 245 → 35 → 8.75

÷5, ÷2: 56.8 → 11.36 → 5.68

2 □안에 알맞은 수를 쓰세요.

201÷3=67
➡ 2.01÷3= 0.67
나누어지는 수가 $\frac{1}{100}$배가 되면 몫도 $\frac{1}{100}$배가 됩니다.

216÷8=27
➡ 21.6 ÷8=2.7
나누어지는 수가 $\frac{1}{10}$배가 되면 몫도 $\frac{1}{10}$배가 됩니다.

3 □안에 들어갈 수 있는 자연수를 모두 쓰세요.

5.94 35.64÷6>□
1, 2, 3, 4, 5

1.45 13.05÷9<1.□8
4, 5, 6, 7, 8, 9

4 수 카드 4장 중 2장을 뽑아 나온 두 수로 몫이 가장 작은 나눗셈식을 만들고 몫을 구하세요.

5 6 4 3

식 3÷6=0.5 답 0.5

(가장 작은 수)÷(가장 큰 수)=(가장 작은 몫)

5 세로셈으로 나눗셈의 몫을 구하세요.

3)128.4 = 42.8 (12, 8, 6, 24, 24, 0)

0.7)20.3 = 29 (14, 63, 63, 0)

2.3)16.56 = 7.2 (161, 46, 46, 0)

6 ○안에 >, =, <를 알맞게 넣으세요.

1.2÷0.5 < 1.2÷0.24
2.4 5
나누어지는 수가 같을 때는 나누는 수가 작을수록 몫이 큽니다.

2.24÷0.8 > 2.12÷0.8
2.8 2.65
나누는 수가 같을 때는 나누어지는 수가 클수록 몫이 큽니다.

62 응용연산 E3 3주: 소수의 나눗셈 63

64쪽

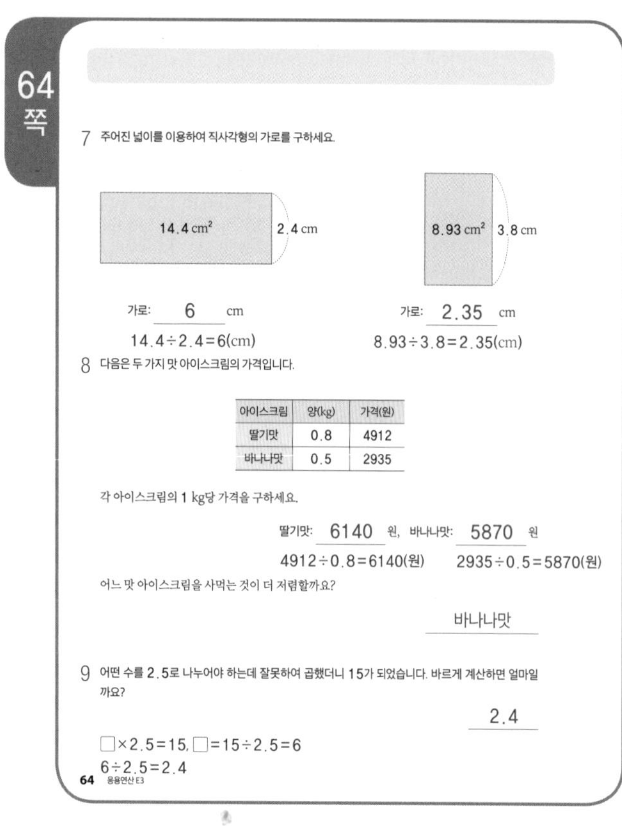

7 주어진 넓이를 이용하여 직사각형의 가로를 구하세요.

14.4 cm² 2.4 cm
가로: 6 cm
14.4÷2.4=6(cm)

8.93 cm² 3.8 cm
가로: 2.35 cm
8.93÷3.8=2.35(cm)

8 다음은 두 가지 맛 아이스크림의 가격입니다.

| 아이스크림 | 양(kg) | 가격(원) |
|---|---|---|
| 딸기맛 | 0.8 | 4912 |
| 바나나맛 | 0.5 | 2935 |

각 아이스크림의 1 kg당 가격을 구하세요.

딸기맛: 6140 원, 바나나맛: 5870 원
4912÷0.8=6140(원) 2935÷0.5=5870(원)

어느 맛 아이스크림을 사먹는 것이 더 저렴할까요?

바나나맛

9 어떤 수를 2.5로 나누어야 하는데 잘못하여 곱했더니 15가 되었습니다. 바르게 계산하면 얼마일까요?

2.4

□×2.5=15, □=15÷2.5=6
6÷2.5=2.4

64 응용연산 E3

# 어림하기와 소수의 나눗셈

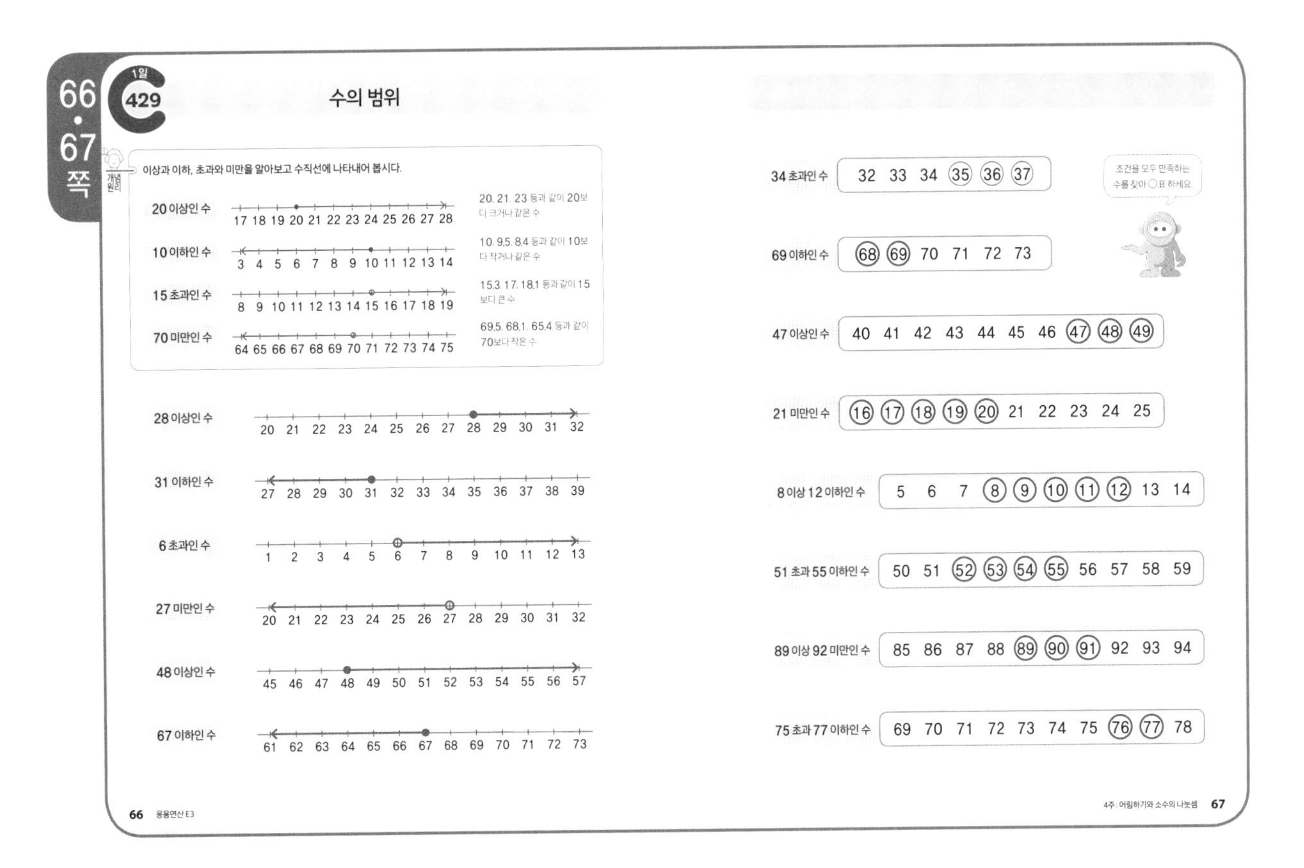

66·67쪽

1일 429 수의 범위

개념원리 이상과 이하, 초과와 미만을 알아보고 수직선에 나타내어 봅시다.

20 이상인 수 — 20, 21, 23 등과 같이 20보다 크거나 같은 수

10 이하인 수 — 10, 9.5, 8.4 등과 같이 10보다 작거나 같은 수

15 초과인 수 — 15.3, 17, 18.1 등과 같이 15보다 큰 수

70 미만인 수 — 69.5, 68.1, 65.4 등과 같이 70보다 작은 수

28 이상인 수

31 이하인 수

6 초과인 수

27 미만인 수

48 이상인 수

67 이하인 수

34 초과인 수: 32 33 34 (35) (36) (37)

69 이하인 수: (68) (69) 70 71 72 73

47 이상인 수: 40 41 42 43 44 45 46 (47) (48) (49)

21 미만인 수: (16) (17) (18) (19) (20) 21 22 23 24 25

8 이상 12 이하인 수: 5 6 7 (8) (9) (10) (11) (12) 13 14

51 초과 55 이하인 수: 50 51 (52) (53) (54) (55) 56 57 58 59

89 이상 92 미만인 수: 85 86 87 88 (89) (90) (91) 92 93 94

75 초과 77 이하인 수: 69 70 71 72 73 74 75 (76) (77) 78



66 응용연산 E3 / 4주: 어림하기와 소수의 나눗셈 67

68·69쪽

응용연산

1 주어진 수가 포함된 수의 범위를 찾아 선으로 이으세요.

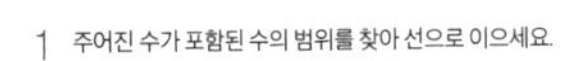

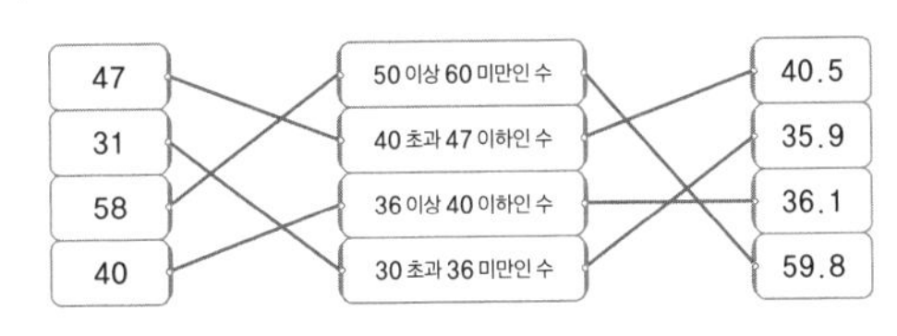



2 주어진 범위를 수직선에 나타내어 보세요.

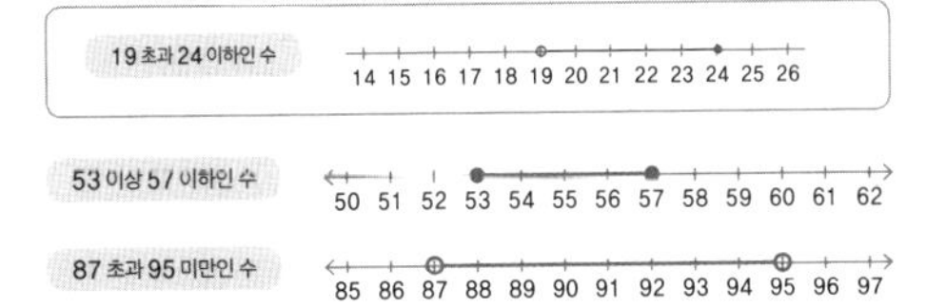



3 주어진 수의 범위에 포함되는 자연수는 모두 몇 개인지 구하세요.

6 개

$18-13+1=6$(개)

12 개

$70-58=12$(개)

4 수 카드 5장 중 2장을 한 번씩 사용하여 두 자리 수를 만들려고 합니다. 만들 수 있는 수 중에서 26 이상 54 미만인 수는 모두 몇 개인가요?

4 6 1 5 2

7 개

26, 41, 42, 45, 46, 51, 52

5 대회네 모둠 학생들의 100 m 달리기 기록을 나타낸 표입니다.

| 이름 | 기록(초) | 이름 | 기록(초) |
|---|---|---|---|
| 대회 | 16.3 | 유리 | 19.1 |
| 소연 | 20.8 | 상호 | 17.9 |
| 동주 | 15.5 | 지회 | 18 |

다음 표를 완성해 보세요.

| 기록(초) | 이름 | 기록(초) | 이름 |
|---|---|---|---|
| 16 미만 | 동주 | 18 이상 20 미만 | 지회, 유리 |
| 16 이상 18 미만 | 대회, 상호 | 20 이상 | 소연 |

18초 미만인 학생을 모둠 대표로 달리기 시합에 출전시키려고 합니다. 대회에 출전할 수 있는 사람은 모두 몇 명인가요?

3 명

동주, 대회, 상호

68 응용연산 E3 / 4주: 어림하기와 소수의 나눗셈 69

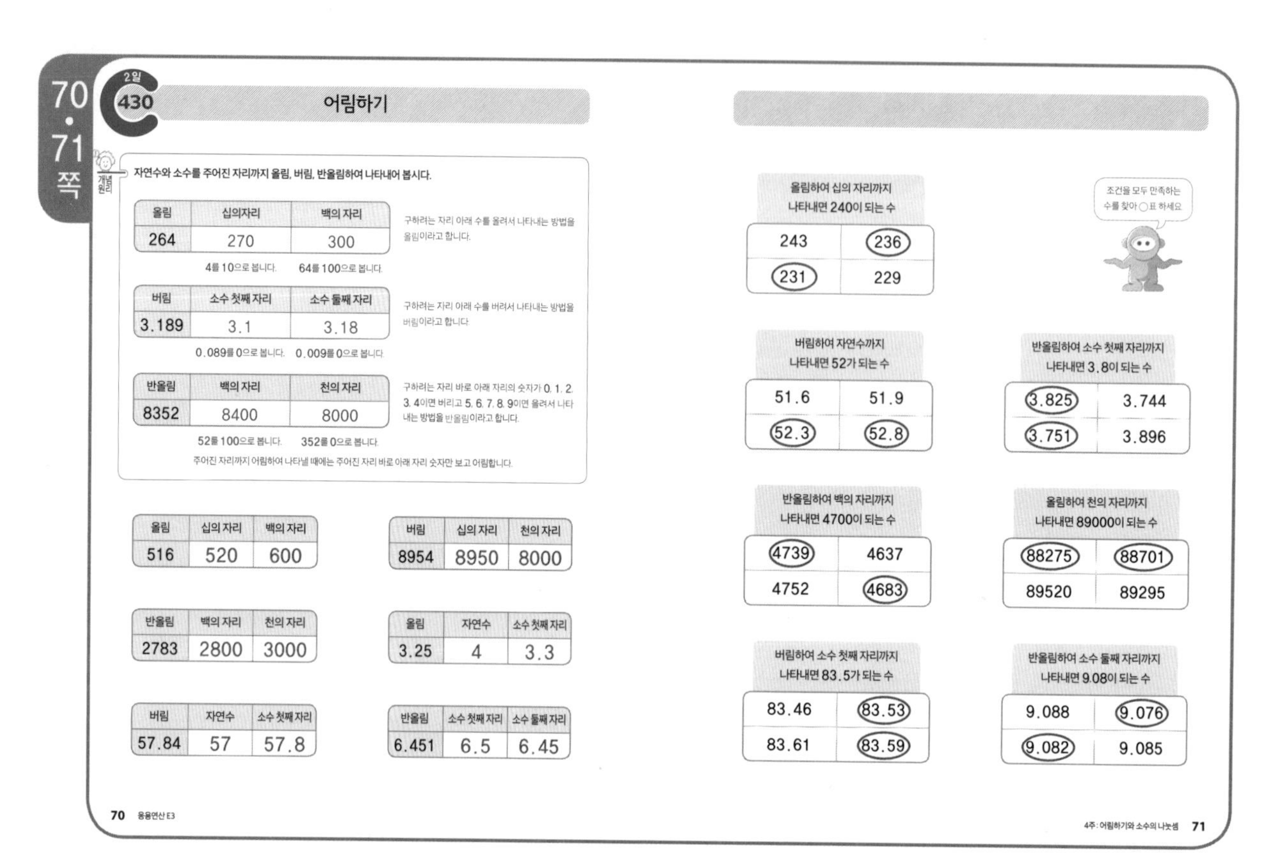

70・71쪽

2일 430 어림하기

개념원리 자연수와 소수를 주어진 자리까지 올림, 버림, 반올림하여 나타내어 봅시다.

| 올림 | 십의자리 | 백의 자리 |
| --- | --- | --- |
| 264 | 270 | 300 |

4를 10으로 봅니다. 64를 100으로 봅니다.

구하려는 자리 아래 수를 올려서 나타내는 방법을 올림이라고 합니다.

| 버림 | 소수 첫째 자리 | 소수 둘째 자리 |
| --- | --- | --- |
| 3.189 | 3.1 | 3.18 |

0.089를 0으로 봅니다. 0.009를 0으로 봅니다.

구하려는 자리 아래 수를 버려서 나타내는 방법을 버림이라고 합니다.

| 반올림 | 백의 자리 | 천의 자리 |
| --- | --- | --- |
| 8352 | 8400 | 8000 |

52를 100으로 봅니다. 352를 0으로 봅니다.

구하려는 자리 바로 아래 자리의 숫자가 0, 1, 2, 3, 4이면 버리고 5, 6, 7, 8, 9이면 올려서 나타내는 방법을 반올림이라고 합니다.

주어진 자리까지 어림하여 나타낼 때에는 주어진 자리 바로 아래 자리 숫자만 보고 어림합니다.

| 올림 | 십의 자리 | 백의 자리 |
| --- | --- | --- |
| 516 | 520 | 600 |

| 버림 | 십의 자리 | 천의 자리 |
| --- | --- | --- |
| 8954 | 8950 | 8000 |

| 반올림 | 백의 자리 | 천의 자리 |
| --- | --- | --- |
| 2783 | 2800 | 3000 |

| 올림 | 자연수 | 소수 첫째 자리 |
| --- | --- | --- |
| 3.25 | 4 | 3.3 |

| 버림 | 자연수 | 소수 첫째 자리 |
| --- | --- | --- |
| 57.84 | 57 | 57.8 |

| 반올림 | 소수 첫째 자리 | 소수 둘째 자리 |
| --- | --- | --- |
| 6.451 | 6.5 | 6.45 |

조건을 모두 만족하는 수를 찾아 ○표 하세요.

올림하여 십의 자리까지 나타내면 240이 되는 수: 243, (236), (231), 229

버림하여 자연수까지 나타내면 52가 되는 수: 51.6, 51.9, (52.3), (52.8)

반올림하여 소수 첫째 자리까지 나타내면 3.8이 되는 수: (3.825), 3.744, (3.751), 3.896

반올림하여 백의 자리까지 나타내면 4700이 되는 수: (4739), 4637, 4752, (4683)

올림하여 천의 자리까지 나타내면 89000이 되는 수: (88275), (88701), 89520, 89295

버림하여 소수 첫째 자리까지 나타내면 83.5가 되는 수: 83.46, (83.53), 83.61, (83.59)

반올림하여 소수 둘째 자리까지 나타내면 9.08이 되는 수: 9.088, (9.076), (9.082), 9.085

70 응용연산 E3 　　 4주: 어림하기와 소수의 나눗셈 71

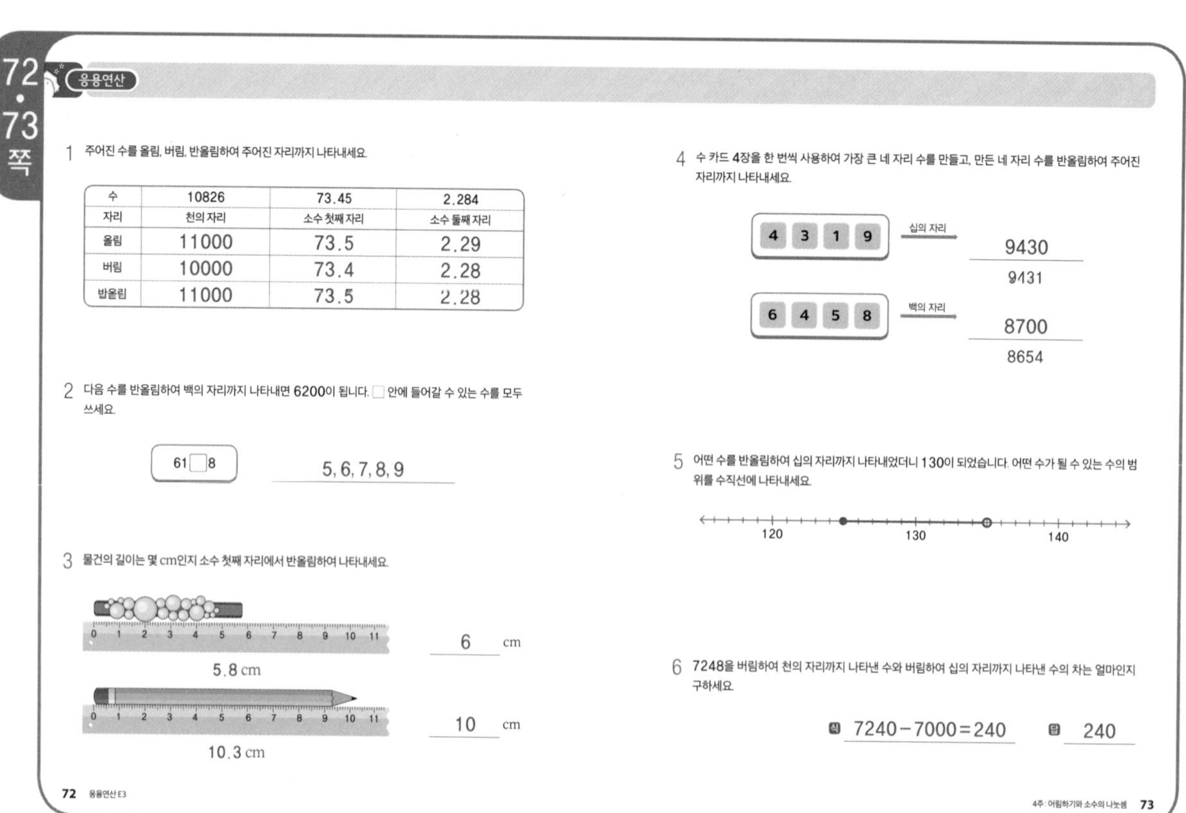

72・73쪽

응용연산

1 주어진 수를 올림, 버림, 반올림하여 주어진 자리까지 나타내세요.

| 수 | 10826 | 73.45 | 2.284 |
| --- | --- | --- | --- |
| 자리 | 천의 자리 | 소수 첫째 자리 | 소수 둘째 자리 |
| 올림 | 11000 | 73.5 | 2.29 |
| 버림 | 10000 | 73.4 | 2.28 |
| 반올림 | 11000 | 73.5 | 2.28 |

2 다음 수를 반올림하여 백의 자리까지 나타내면 6200이 됩니다. □ 안에 들어갈 수 있는 수를 모두 쓰세요.

61□8 　 5, 6, 7, 8, 9

3 물건의 길이는 몇 cm인지 소수 첫째 자리에서 반올림하여 나타내세요.

5.8 cm 　 6 cm

10.3 cm 　 10 cm

4 수 카드 4장을 한 번씩 사용하여 가장 큰 네 자리 수를 만들고, 만든 네 자리 수를 반올림하여 주어진 자리까지 나타내세요.

4 3 1 9 → 십의 자리 　 9430 (9431)

6 4 5 8 → 백의 자리 　 8700 (8654)

5 어떤 수를 반올림하여 십의 자리까지 나타내었더니 130이 되었습니다. 어떤 수가 될 수 있는 수의 범위를 수직선에 나타내세요.

120 　 130 　 140

6 7248을 버림하여 천의 자리까지 나타낸 수와 버림하여 십의 자리까지 나타낸 수의 차는 얼마인지 구하세요.

식 7240－7000＝240 　 답 240

72 응용연산 E3 　　 4주: 어림하기와 소수의 나눗셈 73

## 74·75쪽

3일 431 몫을 반올림하여 나타내기

개념원리: 나눗셈의 몫을 반올림하여 자연수, 소수 첫째 자리, 소수 둘째 자리까지 각각 나타내어 봅시다.

3.4)14.27 = 4.197 …… 2

| 자리 | 반올림한 몫 |
|---|---|
| 자연수 | 4 |
| 소수 첫째 자리 | 4.2 |
| 소수 둘째 자리 | 4.20 |

① 몫의 소수 첫째 자리 숫자 1을 반올림하면 자연수의 일의 자리 숫자는 4가 됩니다.
② 몫의 소수 둘째 자리 숫자 9를 반올림하면 소수 첫째 자리 숫자는 2가 됩니다.
③ 몫의 소수 셋째 자리 숫자 7을 반올림하면 소수 둘째 자리 숫자는 0이 됩니다.

1.3)42.3 = 32.538 …… 6

| 자리 | 반올림한 몫 |
|---|---|
| 자연수 | 33 |
| 소수 첫째 자리 | 32.5 |
| 소수 둘째 자리 | 32.54 |

1.7)3.15 = 1.8 …… 9 / 자연수: 2

2.3)16.4 = 7.1 …… 7 / 자연수: 7

4)5.7 = 1.42 …… 2 / 소수 첫째 자리: 1.4

5.9)27 = 4.57 …… 37 / 소수 첫째 자리: 4.6

0.3)1.6 = 5.333 …… 1 / 소수 둘째 자리: 5.33

1.6)7.1 = 4.437 …… 8 / 소수 둘째 자리: 4.44




## 76·77쪽

응용연산

1 나눗셈의 몫을 반올림하여 주어진 수까지 나타내어 보세요.

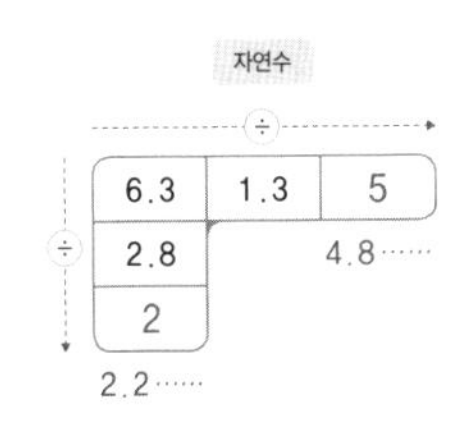


소수 둘째 자리: 1.5 ÷ 8 = 0.19 (0.187……), 1.5 ÷ 7 = 0.21 (0.214……)

2 ○ 안에 >, =, <를 알맞게 넣으세요.

1.6÷0.3 (5.333……) > 1.6÷0.3의 몫을 반올림하여 소수 둘째 자리까지 나타낸 수 (5.33)

3 4.93÷4.2의 몫을 반올림하여 주어진 자리까지 나타낼 때 주어진 자리의 숫자를 찾아 선으로 이으세요. (1.1738……)

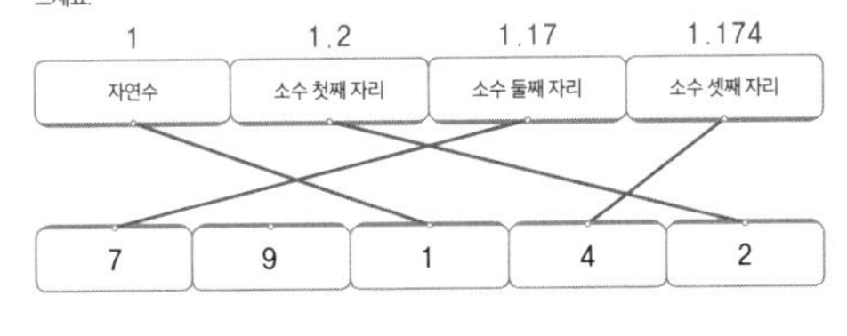


4 수 카드 4장을 한 번씩 사용하여 다음 나눗셈식을 만들려고 합니다. 몫이 가장 큰 나눗셈식을 만들고 몫을 반올림하여 소수 둘째 자리까지 나타내세요.

식 87.4÷3 (29.133……) 답 29.13

(가장 큰 수)÷(가장 작은 수)=(가장 큰 몫)

5 굵기가 일정한 통나무 60 cm의 무게를 달아보니 8.2 kg이었습니다. 이 통나무 1 m의 무게는 몇 kg인지 반올림하여 소수 첫째 자리까지 나타내세요.

8.2÷0.6=13.66……

13.7 kg

6 자동차가 1시간 30분 동안 고속도로를 143 km 달렸습니다.

1시간 30분은 몇 시간인지 시간 단위로 나타내세요.

$1\frac{30}{60}=1.5$

1.5 시간

이 자동차는 한 시간에 약 몇 km를 달렸는지 반올림하여 자연수까지 구하세요.

식 143÷1.5=95.3…… 답 95 km

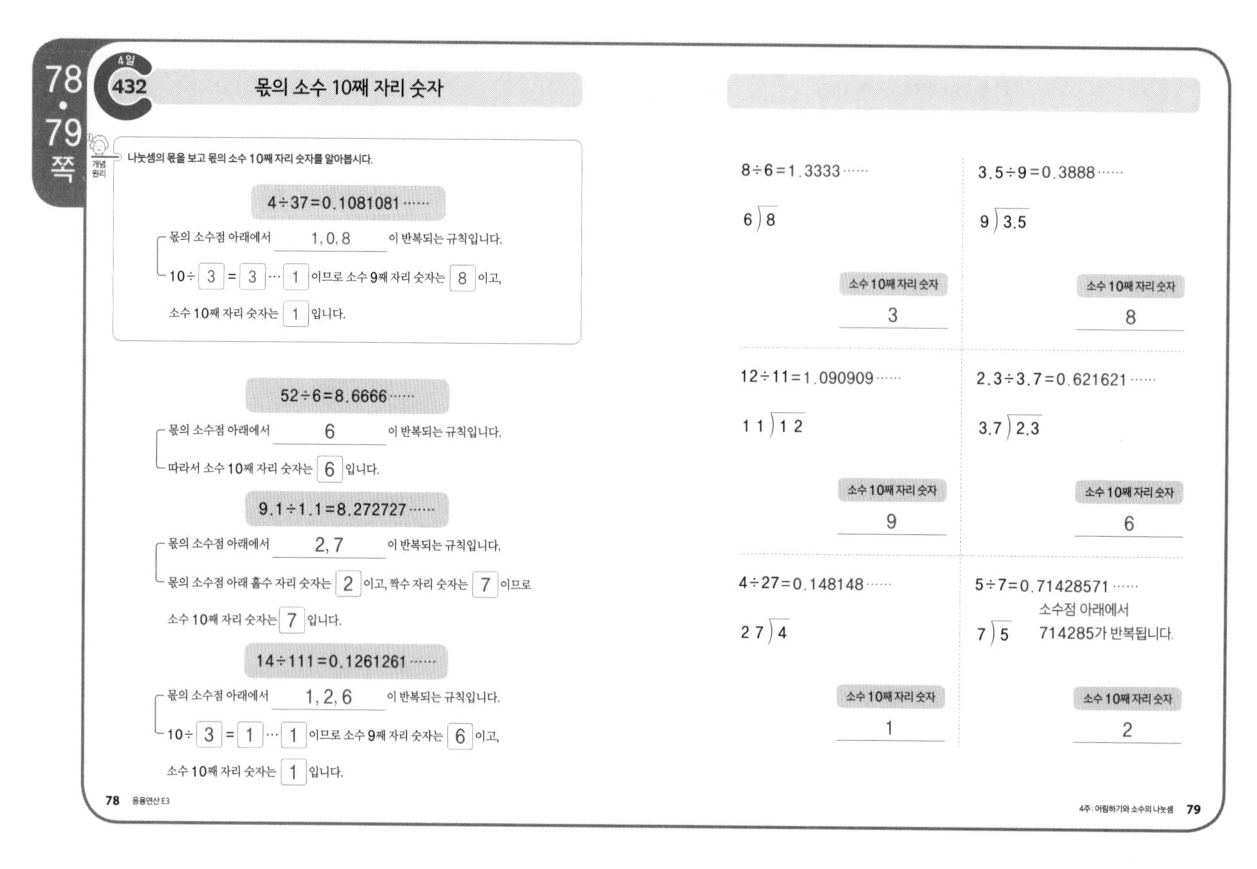
78·79쪽

4일 432 몫의 소수 10째 자리 숫자

개념원리 나눗셈의 몫을 보고 몫의 소수 10째 자리 숫자를 알아봅시다.

4÷37=0.1081081……

몫의 소수점 아래에서 1, 0, 8 이 반복되는 규칙입니다.

10÷3=3…1이므로 소수 9째 자리 숫자는 8이고,

소수 10째 자리 숫자는 1입니다.

52÷6=8.6666……

몫의 소수점 아래에서 6 이 반복되는 규칙입니다.

따라서 소수 10째 자리 숫자는 6입니다.

9.1÷1.1=8.272727……

몫의 소수점 아래에서 2, 7 이 반복되는 규칙입니다.

몫의 소수점 아래 홀수 자리 숫자는 2이고, 짝수 자리 숫자는 7이므로

소수 10째 자리 숫자는 7입니다.

14÷111=0.1261261……

몫의 소수점 아래에서 1, 2, 6 이 반복되는 규칙입니다.

10÷3=1…1이므로 소수 9째 자리 숫자는 6이고,

소수 10째 자리 숫자는 1입니다.

8÷6=1.3333…… 6)8 소수 10째 자리 숫자: 3

3.5÷9=0.3888…… 9)3.5 소수 10째 자리 숫자: 8

12÷11=1.090909…… 11)12 소수 10째 자리 숫자: 9

2.3÷3.7=0.621621…… 3.7)2.3 소수 10째 자리 숫자: 6

4÷27=0.148148…… 27)4 소수 10째 자리 숫자: 1

5÷7=0.71428571…… 7)5 소수점 아래에서 714285가 반복됩니다. 소수 10째 자리 숫자: 2

78 응용연산 E3 / 4주: 어림하기와 소수의 나눗셈 79

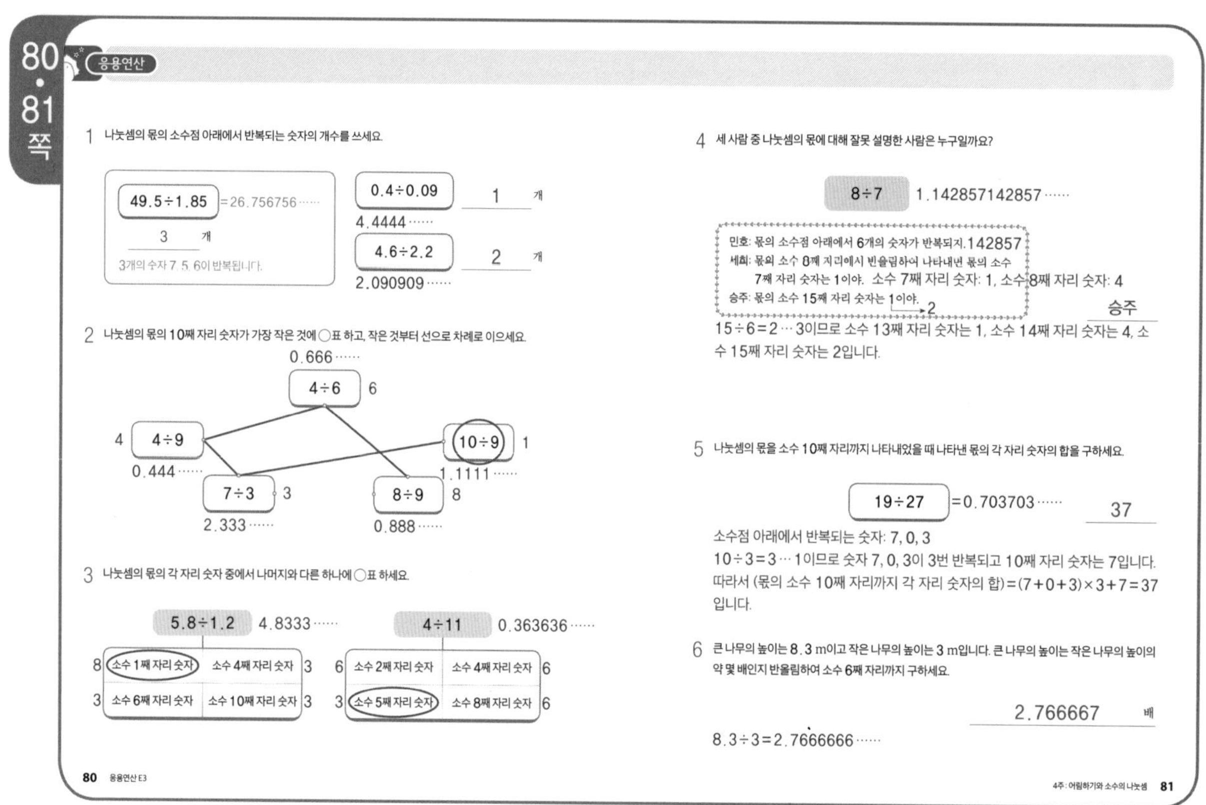
80·81쪽

응용연산

1 나눗셈의 몫의 소수점 아래에서 반복되는 숫자의 개수를 쓰세요.

49.5÷1.85=26.756756…… 3 개 (3개의 수자 7, 5, 6이 반복됩니다.)

0.4÷0.09 (4.4444……) 1 개

4.6÷2.2 (2.090909……) 2 개

2 나눗셈의 몫의 10째 자리 숫자가 가장 작은 것에 ○표 하고, 작은 것부터 선으로 차례로 이으세요.

4÷6 (0.666……) 6
4÷9 (0.444……) 4
(10÷9) (1.1111……) 1
7÷3 (2.333……) 3
8÷9 (0.888……) 8

3 나눗셈의 몫의 각 자리 숫자 중에서 나머지와 다른 하나에 ○표 하세요.

5.8÷1.2 4.8333……

| (소수 1째 자리 숫자) 8 | 소수 4째 자리 숫자 3 |
|---|---|
| 소수 6째 자리 숫자 3 | 소수 10째 자리 숫자 3 |

4÷11 0.363636……

| 소수 2째 자리 숫자 6 | 소수 4째 자리 숫자 6 |
|---|---|
| (소수 5째 자리 숫자) 3 | 소수 8째 자리 숫자 6 |

4 세 사람 중 나눗셈의 몫에 대해 잘못 설명한 사람은 누구일까요?

8÷7 1.142857142857……

민호: 몫의 소수점 아래에서 6개의 숫자가 반복되지. 142857
세희: 몫의 소수 8째 자리에서 반올림하여 나타낸 몫의 소수 7째 자리 숫자는 1이야. 소수 7째 자리 숫자: 1, 소수 8째 자리 숫자: 4
승주: 몫의 소수 15째 자리 숫자는 1이야. → 2

승주

15÷6=2…3이므로 소수 13째 자리 숫자는 1, 소수 14째 자리 숫자는 4, 소수 15째 자리 숫자는 2입니다.

5 나눗셈의 몫을 소수 10째 자리까지 나타내었을 때 나타낸 몫의 각 자리 숫자의 합을 구하세요.

19÷27=0.703703…… 37

소수점 아래에서 반복되는 숫자: 7, 0, 3
10÷3=3…1이므로 숫자 7, 0, 3이 3번 반복되고 10째 자리 숫자는 7입니다.
따라서 (몫의 소수 10째 자리까지 각 자리 숫자의 합)=(7+0+3)×3+7=37입니다.

6 큰 나무의 높이는 8.3 m이고 작은 나무의 높이는 3 m입니다. 큰 나무의 높이는 작은 나무의 높이의 약 몇 배인지 반올림하여 소수 6째 자리까지 구하세요.

2.766667 배

8.3÷3=2.7666666……

80 응용연산 E3 / 4주: 어림하기와 소수의 나눗셈 81

82·83쪽

5일 형성평가

1 주어진 범위를 수직선에 나타내어 보세요.

34 이상인 수 (30 31 32 33 34 35 36 37 38 39 40 41 42, 34에 ●)

68 이상 72 미만인 수 (63 64 65 66 67 68 69 70 71 72 73 74 75, 68에 ●, 72에 ○)

73 초과 80 이하인 수 (70 71 72 73 74 75 76 77 78 79 80 81 82, 73에 ○, 80에 ●)

2 주어진 수의 범위에 포함되는 자연수는 모두 몇 개인지 구하세요.

20 이상 27 이하 — 8 개
27−20+1=8(개)

17 초과 28 미만 — 10 개
28−17−1=10(개)

3 물건의 길이는 몇 cm인지 소수 첫째 자리에서 반올림하여 나타내세요.

7 cm
7.3 cm

14 cm
13.7 cm

4 나눗셈의 몫을 반올림하여 소수 둘째 자리까지 나타내세요.

3)25 = 8.333 …… 8.33

0.9)3.41 = 3.788 …… 3.79

5 ○ 안에 >, =, <를 알맞게 넣으세요.

16.37÷5.3 (<) 0.92÷0.3의 몫을 반올림하여 소수 첫째 자리까지 나타낸 수
3.08……, 3.06…… → 3.1

8.2÷3 (>) 4.64÷1.7의 몫을 반올림하여 소수 둘째 자리까지 나타낸 수
2.733……, 2.729…… → 2.73

6 자동차가 2시간 12분 동안 고속도로를 200 km 달렸습니다.

2시간 12분은 몇 시간인지 시간 단위로 나타내세요.

2.2 시간

$2\frac{12}{60}=2.2$

이 자동차는 한 시간에 약 몇 km를 달렸는지 반올림하여 자연수까지 구하세요.

식 200÷2.2=90.9…… 답 91 km




84쪽

7 수 카드 4장을 한 번씩 사용하여 다음 나눗셈식을 만들려고 합니다. 몫이 가장 큰 나눗셈식을 만들고 몫을 반올림하여 소수 둘째 자리까지 나타내세요.

7 4 9 5

식 97.5÷4 답 24.38

24.375

(가장 큰 수)÷(가장 작은 수)=(가장 큰 몫)

8 나눗셈의 몫을 소수 10째 자리까지 나타내었을 때 나타낸 몫의 각 자리 숫자의 합을 구하세요.

10.7÷6 =1.783333…… 40

소수점 아래에서 반복되는 숫자: 3
(자연수)+(소수 첫째 자리 숫자)+(소수 둘째 자리 숫자)+(소수 3~10째 자리 숫자의 합)
=1+7+8+3×8=40

9 가방의 무게는 3 kg이고 물통의 무게는 2.2 kg입니다. 가방의 무게는 물통의 무게의 약 몇 배인지 반올림하여 소수 7째 자리까지 구하세요.

1.3636364 배

3÷2.2=1.36363636……

Memo

Memo

“

Numbers rule the universe.

”

"수가 우주를 지배한다"

*Pythagoras, 피타고라스*